RAPH
Ephemeri

A Com

MW00781838

INTRODUCTION

Greenwich Mean Time (GMT) has been used as the basis for all tabulations and times. The tabular data are for 12h GMT except for the additional Moon tabulations (headed 24h). All phenomena and aspect times are now in GMT (to obtain Local Mean Time of aspect, add / subtract the time equivalent of the longitude E / W respectively). The zodiacal sign ingresses are integrated with the Aspectarian as well as in a separate table (inside back cover). Additionally, the 10-daily positions for **Chiron**, *the four of the larger asteroids (***Ceres**, **Pallas**, **Juno** *and* **Vesta***) and the* **Black Moon Lilith** *have been drawn from Raphael's definitive 151-year Ephemeris (page 37).*

BRITISH SUMMER TIME
British Summer Time begins on March 30 and ends on October 26.
When *British Summer Time* (one hour in advance of G.M.T.) is used,
subtract one hour from B.S.T. before entering this Ephemeris.
These dates are believed to be correct at the time of printing.

ISBN: 978 0 572 04847 1

© Strathearn Publishing Ltd, 2024

A CIP record for this book is available from the British Library

Printed in Great Britain by Short Run Press
(For earlier years phone 01256 302 692)

W. Foulsham & Co. Ltd. London
The Old Barrel Store, Draymans Lane,
Marlow, Bucks, SL7 2FF, England

2					JANUARY		2025		[RAPHAEL'S	
D	D	Sidereal	☉	☉	☽	☽	☽	☽	24h.	
M	W	Time	Long.	Dec.	Long.	Lat.	Dec.	Node	☽ Long.	☽ Dec.
		h m s	° ′ ″	° ′	° ′ ″	° ′	° ′	° ′	° ′ ″	° ′
1	W	18 45 34	11♑19 25	22 S 57	0≈39 42	4 S 21	24 S 15	1 ♈ 28	7 ≈ 27 23	22 S 18
2	Th	18 49 31	12 20 35	22 52	14 17 32	3 38	20 01	1 25	21 09 51	17 28
3	F	18 53 27	13 21 46	22 46	28 04 01	2 42	14 41	1 22	4 ♓ 59 45	11 42
4	S	18 57 24	14 22 56	22 40	11♓56 50	1 36	8 34	1 19	18 55 07	5 S 19
5	Su	19 01 20	15 24 06	22 33	25 33 24	0 S 24	2 S 00	1 16	2 ♈ 54 43	1 N 22
6	M	19 05 17	16 25 15	22 26	9♈55 53	0 N 50	4 N 42	1 12	16 57 52	8 00
7	T	19 09 14	17 26 24	22 18	24 00 37	2 02	11 12	1 09	1♉04 01	14 16
8	W	19 13 10	18 27 33	22 10	8♉07 57	3 06	17 09	1 06	15 12 14	19 48
9	Th	19 17 07	19 28 41	22 01	22 16 37	3 59	22 11	1 03	29 20 48	24 14
10	F	19 21 03	20 29 49	21 52	6♊24 23	4 37	25 55	1 00	13♊26 57	27 12
11	S	19 25 00	21 30 56	21 43	20 28 00	4 58	28 03	0 56	27 26 59	28 27
12	Su	19 28 56	22 32 03	21 33	4♋23 24	5 01	28 23	0 53	11♋16 41	27 53
13	M	19 32 53	23 33 09	21 23	18 06 22	4 47	26 57	0 50	24 51 59	25 38
14	T	19 36 49	24 34 15	21 12	1♌33 11	4 17	23 59	0 47	8♌09 41	22 02
15	W	19 40 46	25 35 21	21 01	14 41 19	3 34	19 50	0 44	21 08 01	17 25
16	Th	19 44 43	26 36 26	20 50	27 29 49	2 40	14 51	0 41	3♍46 51	12 09
17	F	19 48 39	27 37 30	20 38	9♍59 24	1 40	9 22	0 37	16 07 45	6 32
18	S	19 52 36	28 38 35	20 26	22 12 22	0 N 37	3 N 40	0 34	28 13 42	0 N 47
19	Su	19 56 32	29♑39 39	20 13	4≈12 19	0 S 27	2 S 05	0 31	10≈08 49	4 S 55
20	M	20 00 29	0≈40 42	20 00	16 03 49	1 30	7 42	0 28	21 57 59	10 24
21	T	20 04 25	1 41 45	19 47	27 52 00	2 28	13 01	0 25	3♏46 33	15 31
22	W	20 08 22	2 42 48	19 33	9♏42 19	3 20	17 53	0 22	15 39 58	20 05
23	Th	20 12 18	3 43 51	19 19	21 40 09	4 04	22 06	0 18	27 43 29	23 54
24	F	20 16 15	4 44 53	19 05	3♐50 31	4 38	25 28	0 15	10♐01 45	26 44
25	S	20 20 12	5 45 54	18 50	16 17 37	4 59	27 41	0 12	22 38 29	28 18
26	Su	20 24 08	6 46 55	18 35	29 04 34	5 06	28 33	0 09	5♑36 01	28 23
27	M	20 28 05	7 47 55	18 19	12♑51 51	4 58	27 49	0 06	18 55 00	26 51
28	T	20 32 01	8 48 55	18 03	25 42 13	4 33	25 28	0 ♈ 02	2≈34 12	23 43
29	W	20 35 58	9 49 53	17 47	9≈30 32	3 52	21 35	29♈59	16 30 41	19 09
30	Th	20 39 54	10 50 51	17 31	23 34 04	2 56	16 25	29♓56	0♓40 07	13 28
31	F	20 43 51	11≈51 47	17 S14	7♓48 09	1 S 48	10 S 19	29♓53	14♓57 34	7 S 01

D	Mercury			Venus			Mars			Jupiter	
M	Lat.	Dec.		Lat.	Dec.		Lat.	Dec.		Lat.	Dec.
	° ′	° ′	° ′	° ′	° ′	° ′	° ′	° ′	° ′	° ′	° ′
1	1 N03	22 S 04		1 S 22	13 S 22		3 N 56	23 N 36		0 S 36	21 N 47
3	0 46	22 30	22 S 17	1 13	12 29	12 S 56	4 00	23 49	23 N 43	0 36	21 46
5	0 29	22 53	22 42	1 04	11 35	12 02	4 04	24 02	23 56	0 35	21 45
7	0 N13	23 13	23 03	0 54	10 40	11 08	4 07	24 16	24 09	0 35	21 44
9	0 S02	23 28	23 21	0 44	9 45	10 13	4 10	24 28	24 22	0 34	21 43
10			23 34			9 17			24 35		
11	0 17	23 39		0 33	8 49		4 13	24 41		0 34	21 42
13	0 31	23 45	23 43	0 21	7 53	8 21	4 15	24 52	24 47	0 34	21 41
15	0 45	23 47	23 47	0 S 09	6 56	7 25	4 17	25 04	24 58	0 33	21 40
17	0 58	23 43	23 46	0 N 04	6 00	6 28	4 18	25 14	25 09	0 33	21 40
19	1 09	23 35	23 40	0 18	5 03	5 31	4 19	25 24	25 19	0 32	21 39
20			23 29			4 35			25 29		
21	1 20	23 21		0 32	4 06		4 20	25 33		0 32	21 39
23	1 30	23 01	23 12	0 47	3 10	3 38	4 20	25 41	25 37	0 31	21 39
25	1 39	22 37	22 50	1 02	2 13	2 42	4 19	25 48	25 45	0 31	21 39
27	1 47	22 06	22 21	1 18	1 18	1 45	4 18	25 54	25 51	0 30	21 39
29	1 53	21 30	21 49	1 35	0 S 22	0 S 50	4 17	26 00	25 57	0 30	21 39
31	1 S 58	20 S 48	21 S 09	1 N 52	0 N 32	0 05	4 N 16	26 N 04	26 N 02	0 S 30	21 N 39

FIRST QUARTER–Jan. 6,23h.56m. (16°♈56′)

FULL MOON – Jan.13,22h.27m. (24°♋00′)

D	☿	♀	♂	♃	♄	♅	♆	♇	Lunar Aspects								
M	Long.	Long.	Long.	Long.	Long.	Long.	Long.	Long.	☉	☿	♀	♂	♃	♄	♅	♆	♇
1	20♐31	28♒15	1♋45	13♊10	14♓34	23♉37	27♓18	1♒05		∠	⊻	☌	⚹	⦰∠		⚹	☌
2	21 50	29♒19	1R 25	13R 04	14 38	23R 36	27 19	1 07	⊻				△	⊻		∠	
3	23 10	0♓23	1 04	12 57	14 43	23 35	27 20	1 09	∠	⚹	☌				□	⊻	⊻
4	24 31	1 26	0 43	12 51	14 48	23 33	27 21	1 10	⚹			⦰	□	☌			⊻
5	25 53	2 29	0♋21	12 46	14 53	23 32	27 22	1 12	□			△				⚹	☌ ⚹
6	27 16	3 32	29♊59	12 40	14 58	23 31	27 23	1 14	□		⊻		⚹	⊻	∠		
7	28♐40	4 35	29 36	12 35	15 03	23 30	27 24	1 16	△	∠	□	∠	□	∠	⊻	⊻	
8	0♑05	5 37	29 13	12 29	15 08	23 28	27 25	1 18		⚹		☐	⊻	⚹		∠	□
9	1 31	6 38	28 27	12 24	15 13	23 27	27 26	1 20	△	⦰		⚹			☌	⚹	
10	2 58	7 40	28 27	12 19	15 18	23 26	27 27	1 22	⦰		□	∠	☌				△
11	4 25	8 41	28 03	12 14	15 23	23 25	27 28	1 24					□	⊻			⦰
12	5 52	9 41	27 39	12 10	15 29	23 24	27 30	1 26	⦰	△	⊻			∠	□		
13	7 21	10 41	27 15	12 05	15 34	23 23	27 31	1 27	⦰				⊻	△	⚹		
14	8 50	11 40	26 51	12 01	15 40	23 23	27 32	1 29		⦰	☌		∠	⦰		△	⦰
15	10 20	12 39	26 27	11 57	15 45	23 22	27 33	1 31					⚹			⦰	
16	11 50	13 38	26 03	11 53	15 51	23 21	27 35	1 33	⦰		⊻			□			
17	13 20	14 36	25 39	11 49	15 56	23 20	27 36	1 35	⦰	△	⦰	∠	□		⦰		
18	14 52	15 34	25 16	11 46	16 02	23 20	27 37	1 37			⚹					△	⦰
19	16 24	16 30	24 52	11 43	16 08	23 19	27 39	1 39	△				⦰			⦰	△
20	17 56	17 27	24 28	11 39	16 14	23 18	27 40	1 41		□					△		
21	19 29	18 23	24 05	11 37	16 20	23 18	27 41	1 43	□			□	⦰	⦰			□
22	21 03	19 18	23 42	11 34	16 26	23 17	27 43	1 45			⦰		△				
23	22 37	20 12	23 20	11 31	16 32	23 17	27 44	1 47		⚹	△	△				△	⦰
24	24 12	21 06	22 58	11 29	16 38	23 17	27 46	1 49	⚹	∠		⦰		⦰		△	⚹
25	25 47	21 59	22 36	11 27	16 44	23 16	27 47	1 51	∠		□		⦰	□			∠
26	27 23	22 52	22 15	11 25	16 50	23 16	27 49	1 53	⊻							□	⊻
27	29♑00	23 44	21 54	11 23	16 57	23 16	27 51	1 55	⊻					⚹	□		
28	0♒37	24 35	21 34	11 22	17 03	23 16	27 52	1 56		☌	⚹	⦰	□	∠	△	⚹	☌
29	2 15	25 25	21 14	11 20	17 09	23 16	27 54	1 58	☌		∠		△				
30	3 54	26 14	20 55	11 19	17 16	23 16	27 56	2 00		⊻				⊻	□	⊻	
31	5♒33	27♓03	20♋37	11♊18	17♓22	23♉16	27♓57	2♒02	⊻	⊻		⦰	□				⊻

D	Saturn		Uranus		Neptune		Pluto		Mutual Aspects
M	Lat.	Dec.	Lat.	Dec.	Lat.	Dec.	Lat.	Dec.	
	° ′	° ′	° ′	° ′	° ′	° ′	° ′	° ′	3 ☉▽♃. ☿♀⛢. ♀☌♂. ♂⦰♇.
1	1S59	7S54	0S15	18N26	1S17	2S15	3S16	23S07	4 ☉⚹h. ☿±♂. ☿⊥♇. ♀⊻♇. ☉∥☿.
3	1 58	7 50	0 15	18 25	1 17	2 14	3 17	23 06	5 ☉Q♆.
5	1 58	7 46	0 15	18 25	1 17	2 13	3 17	23 05	6 ☿□♃. ♂Qh. ☿∥♇.
7	1 58	7 42	0 15	18 24	1 17	2 13	3 17	23 04	8 ☉±♃. ☿▽♂. ☿±⛢. ♀±♂.
9	1 58	7 38	0 15	18 24	1 17	2 12	3 17	23 04	9 ☿⊻♇.
									10 ☿Qh. ♀⊥♇.
11	1 57	7 34	0 15	18 23	1 17	2 11	3 17	23 03	11 ☉♃♃. 12 ♂△♆.
13	1 57	7 29	0 15	18 23	1 17	2 10	3 17	23 02	13 ☉△⛢.
15	1 57	7 25	0 15	18 22	1 17	2 09	3 17	23 02	14 ☿Q⛢. ♀Q♂. ♀Q♃. ♀Q⛢. ♂∠♃.
17	1 57	7 20	0 15	18 22	1 17	2 08	3 17	23 01	♀∥h.
19	1 57	7 16	0 15	18 22	1 17	2 06	3 18	23 00	16 ☉☌♂. ☉Q♃. ☿▽♃.
									17 ☉⚹♆.
21	1 56	7 11	0 15	18 22	1 16	2 05	3 18	22 59	19 ☿⚹♀. ☿⚹h. ☿Q♆. ♀☌h. ♀∠♇.
23	1 56	7 06	0 15	18 21	1 16	2 04	3 18	22 59	20 ☿±♃.
25	1 56	7 01	0 15	18 21	1 16	2 03	3 18	22 58	21 ☉∠h. ☉☌♇.
27	1 56	6 56	0 15	18 21	1 16	2 01	3 18	22 57	23 ☿☌♂. ♀△♂. ♂⚹⛢. ☿∥♇.
29	1 56	6 51	0 15	18 21	1 16	2 00	3 18	22 57	25 ♀Q♃. ♀△♂. ♀∥♆.
31	1S56	6S46	0S15	18N21	1S16	1S59	3S19	22S56	26 ☿⚹♆. ☉⚹⛢.
									27 h∠♇. ☉♃⛢.
									29 ☿∠h. ☿☌♇. ☿♃♃.
									30 ☉△♃. ☉⊥h. ⛢Stat.

LAST QUARTER – Jan.21,20h.31m. (2°♏03′)

| 4 | | | | | FEBRUARY | 2025 | | | [RAPHAEL'S |

D	D	Sidereal	⊙	⊙	☽	☽	☽	☽	24h.	
M	W	Time	Long.	Dec.	Long.	Lat.	Dec.	Node	☽ Long.	☽ Dec.

		h m s	° ′ ″	° ′	° ′ ″	° ′	° ′	° ′	° ′	° ′
1	S	20 47 47	12≈52 43	16 S 57	22 ⋋ 07 47	0 S 33	3 S 37	29 ⋋ 50	29 ⋋ 18 14	0 S 11
2	Su	20 51 44	13 53 37	16 39	6 ♈ 28 27	0 N45	3 N15	29 47	13 ♈ 37 59	6 N39
3	M	20 55 41	14 54 29	16 22	20 46 30	1 59	9 57	29 43	27 53 43	13 07
4	T	20 59 37	15 55 21	16 04	4 ♉ 59 22	3 06	16 06	29 40	12 ♉ 03 18	18 52
5	W	21 03 34	16 56 10	15 46	19 05 22	4 01	21 21	29 37	26 05 24	23 32
6	Th	21 07 30	17 56 59	15 27	3 ♊ 03 20	4 41	25 22	29 34	9 ♊ 59 02	26 48
7	F	21 11 27	18 57 46	15 08	16 52 23	5 04	27 50	29 31	23 43 17	28 26
8	S	21 15 23	19 58 31	14 49	0 ♋ 31 33	5 10	28 36	29 28	7 ♋ 17 05	28 20
9	Su	21 19 20	20 59 15	14 30	13 59 42	4 58	27 39	29 24	20 39 15	26 34
10	M	21 23 16	21 59 58	14 11	27 15 34	4 31	25 08	29 21	3 ♌ 48 32	23 22
11	T	21 27 13	23 00 39	13 51	10 ♌ 18 01	3 49	21 20	29 18	16 43 56	19 04
12	W	21 31 09	24 01 18	13 31	23 06 13	2 57	16 36	29 15	29 24 54	13 59
13	Th	21 35 06	25 01 56	13 11	5 ♍ 39 59	1 57	11 15	29 12	11 ♍ 51 37	8 25
14	F	21 39 03	26 02 33	12 50	17 59 56	0 N52	5 N33	29 08	24 05 10	2 N38
15	S	21 42 59	27 03 08	12 30	0 ⋏ 07 34	0 S 14	0 S 16	29 05	6 ⋏ 07 30	3 S 09
16	Su	21 46 56	28 03 42	12 09	12 05 19	1 19	5 59	29 02	18 01 29	8 46
17	M	21 50 52	29≈04 15	11 48	23 56 28	2 20	11 27	28 59	29 50 46	14 02
18	T	21 54 49	0 ⋋ 04 46	11 27	5 ♏ 44 58	3 15	16 30	28 56	11 ♏ 39 39	18 48
19	W	21 58 45	1 05 16	11 05	17 35 24	4 01	20 56	28 53	23 32 51	22 52
20	Th	22 02 42	2 05 45	10 44	29 32 37	4 38	24 34	28 49	5 ⋐ 35 20	26 01
21	F	22 06 38	3 06 13	10 22	11 ⋐ 41 36	5 03	27 11	28 46	17 52 01	28 02
22	S	22 10 35	4 06 39	10 00	24 07 06	5 14	28 32	28 43	0 ♑ 27 21	28 41
23	Su	22 14 32	5 07 04	9 38	6 ♑ 53 12	5 11	28 26	28 40	13 24 58	27 47
24	M	22 18 28	6 07 28	9 16	20 02 54	4 51	26 44	28 37	26 47 06	25 18
25	T	22 22 25	7 07 50	8 54	3 ≈ 37 33	4 15	23 28	28 34	10 ≈ 34 06	21 17
26	W	22 26 21	8 08 10	8 31	17 36 28	3 22	18 46	28 30	24 44 11	15 57
27	Th	22 30 18	9 08 29	8 09	1 ⋋ 56 40	2 16	12 54	28 27	9 ⋋ 13 14	9 38
28	F	22 34 14	10 ⋋ 08 46	7 S 46	16 ⋋ 33 05	1 S 00	6 S 13	28 ⋋ 24	23 ⋋ 55 19	2 S 43

D		Mercury			Venus				Mars				Jupiter	
M	Lat.		Dec.		Lat.		Dec.		Lat.		Dec.		Lat.	Dec.

	° ′	° ′	° ′		° ′	° ′	° ′		° ′	° ′	° ′		° ′	° ′
1	2 S 00	20 S 25	20 S 00		2 N 01	0 N59		1 N26	4 N 15	26 N06	26 N 08		0 S 29	21 N39
3	2 04	19 34	19 06		2 19	1 53	2 19		4 13	26 09	26 11		0 29	21 39
5	2 05	18 37	18 07		2 37	2 45	3 10		4 11	26 12	26 12		0 29	21 40
7	2 05	17 35	17 01		2 57	3 36	4 01		4 08	26 13	26 14		0 28	21 40
9	2 03	16 27	15 50		3 16	4 25	4 50		4 06	26 14	26 14		0 28	21 41
11	1 59	15 12	14 33		3 36	5 13	5 37		4 03	26 14	26 14		0 27	21 42
13	1 53	13 53	13 11		3 57	5 59	6 22		4 00	26 13	26 13		0 27	21 42
15	1 45	12 28	11 43		4 18	6 43	7 05		3 56	26 12	26 11		0 26	21 43
17	1 35	10 57	10 10		4 39	7 25	7 45		3 53	26 10	26 09		0 26	21 44
19	1 22	9 22	8 33		5 01	8 04	8 23		3 50	26 08	26 07		0 26	21 46
21	1 06	7 43	6 52		5 23	8 41	8 58		3 46	26 06	26 04		0 25	21 47
23	0 48	6 01	5 09		5 44	9 14	9 29		3 43	26 02	26 00		0 25	21 48
25	0 28	4 17	3 25		6 06	9 44	9 57		3 39	25 58	25 56		0 24	21 50
27	0 S 05	2 33	1 42		6 27	10 10	10 21		3 35	25 54	25 52		0 24	21 51
29	0 N20	0 S 51	0 S 01		6 48	10 32	10 N41		3 32	25 50	25 N 48		0 24	21 53
31	0 N47	0 N47			7 N 07	10 N49			3 N 28	25 N45			0 S 23	21 N54

FULL MOON – Feb.12,13h.53m. (24°♎06′)

D M	☿ Long.	♀ Long.	♂ Long.	♃ Long.	♄ Long.	♅ Long.	♆ Long.	♇ Long.	☉	☿	♀	♂	♃	♄	♅	♆	♇
1	7≈13	27♓50	20♋19	11♊18	17♓29	23♉16	27♓59	2≈04	∠	∠	σ	△		σ	✶	σ	∠
2	8 53	28 37	20R02	11R17	17 35	23D16	28 01	2 06		✶			✶	∠			✶
3	10 35	29♓23	19 46	11 17	17 42	23 16	28 02	2 08	✶			□	✶	⊼	⊼		
4	12 17	0♈07	19 30	11D17	17 48	23 16	28 04	2 10			⊼		⊼	∠		⊼	□
5	14 00	0 51	19 15	11 17	17 55	23 17	28 06	2 12	□	□	∠	✶		✶	σ	∠	
6	15 44	1 34	19 01	11 17	18 02	23 17	28 08	2 14			✶	∠				✶	△
7	17 28	2 15	18 48	11 18	18 09	23 17	28 10	2 16	△	△		⊼	σ	□	⊼		⊡
8	19 13	2 55	18 35	11 18	18 15	23 18	28 12	2 17	⊡	⊡	□				□		
9	20 59	3 34	18 23	11 19	18 22	23 18	28 13	2 19				σ	⊼	△	∠		
10	22 46	4 12	18 12	11 20	18 29	23 19	28 15	2 21					∠	⊡	✶	△	⊼
11	24 33	4 48	18 02	11 22	18 36	23 19	28 17	2 23	σ	σ		△		✶			⊡
12	26 21	5 23	17 53	11 23	18 43	23 20	28 19	2 25			⊡	∠			□		
13	28≈10	5 57	17 44	11 25	18 50	23 21	28 21	2 27				∠	□				
14	0♓00	6 29	17 36	11 27	18 57	23 22	28 23	2 28			✶		σ	△			⊡
15	1 50	6 59	17 29	11 29	19 04	23 22	28 25	2 30							σ	△	
16	3 40	7 28	17 23	11 31	19 11	23 23	28 27	2 32	⊡		σ	□	△		⊡		
17	5 31	7 55	17 17	11 34	19 18	23 24	28 29	2 34	△	⊡		⊡					
18	7 23	8 21	17 13	11 37	19 25	23 25	28 31	2 36		△			⊡				□
19	9 14	8 45	17 09	11 40	19 32	23 26	28 33	2 37				△	△	σ	⊡		
20	11 06	9 06	17 06	11 43	19 40	23 27	28 35	2 39	□		⊡	⊡		△	✶		
21	12 57	9 26	17 03	11 46	19 47	23 28	28 37	2 41		□	△		σ				∠
22	14 48	9 44	17 02	11 49	19 54	23 29	28 40	2 42					□		□		
23	16 38	10 00	17 01	11 53	20 01	23 31	28 42	2 44	✶		□			⊡			⊻
24	18 28	10 14	17D01	11 57	20 08	23 32	28 44	2 46	∠	✶		σ		✶	△		
25	20 16	10 26	17 02	12 01	20 16	23 33	28 46	2 47	⊻	∠	✶		⊡	∠		✶	σ
26	22 02	10 35	17 03	12 05	20 23	23 35	28 48	2 49		⊻			△	⊻	□	∠	
27	23 46	10 42	17 05	12 10	20 30	23 36	28 50	2 51			∠	⊡		⊻	σ	✶	⊻
28	25♓27	10♈47	17♋08	12♊14	20♓38	23♉37	28♓52	2≈52	σ		⊻	△	□	σ	✶		∠

D M	Saturn		Uranus		Neptune		Pluto	
	Lat.	Dec.	Lat.	Dec.	Lat.	Dec.	Lat.	Dec.
1	1S55	6S43	0S15	18N21	1S16	1S58	3S19	22S56
3	1 55	6 38	0 14	18 21	1 16	1 57	3 19	22 55
5	1 55	6 33	0 14	18 22	1 16	1 55	3 19	22 54
7	1 55	6 27	0 14	18 22	1 16	1 54	3 19	22 54
9	1 55	6 22	0 14	18 22	1 16	1 52	3 20	22 53
11	1 55	6 16	0 14	18 22	1 16	1 51	3 20	22 52
13	1 55	6 11	0 14	18 23	1 16	1 49	3 20	22 52
15	1 55	6 05	0 14	18 23	1 16	1 47	3 20	22 51
17	1 55	6 00	0 14	18 24	1 16	1 46	3 21	22 50
19	1 55	5 54	0 14	18 24	1 16	1 44	3 21	22 50
21	1 55	5 48	0 14	18 25	1 16	1 42	3 21	22 49
23	1 55	5 43	0 14	18 25	1 16	1 41	3 21	22 49
25	1 55	5 37	0 14	18 26	1 16	1 39	3 22	22 48
27	1 55	5 31	0 14	18 27	1 16	1 37	3 22	22 48
29	1 55	5 25	0 14	18 28	1 16	1 35	3 22	22 47
31	1S55	5S20	0S14	18N28	1S16	1S34	3S22	22S47

Mutual Aspects

1 ⊙∠♀. ⊙∠Ψ. ♀σΨ.
3 ☿△♃. ♀Q♃. ♀∥♅.
4 ♀⊥h. ☿∠Ψ. ♃Stat.
6 ⊙✶h. ☿∥♅.
7 ⊙▽σ'. ☿∠♀. ☿✶h. ♀✶♇.
8 ☿▽σ'.
9 ⊙σ☿. σ'△h.
10 ⊙⊥Ψ. ☿□♅. ☿⊥Ψ.
11 ⊙□♅. ☿±σ'.
12 ⊙±σ'.
13 ☿⊼Ψ. ♀⊥h.
14 ☿⊥♀.
15 ☿□σ'. ☿⊼♇. σ'⊥♃. ⊙∥☿.
16 ⊙⊼Ψ.   18 ♀∠♅.
19 ☿⊼♀. ☿⊥♇.
20 ⊙□σ'. ☿□♃. ☿Q♅. ☿⊥♀.
21 ⊙⊥♀. ⊙⊼♇.
23 ☿△σ'. ☿∥h.
24 ☿⊥♇. ⊙♃♀. σ'Stat.
25 ☿σh.
27 ⊙⊥♇. ☿✶♅.
28 ☿∥Ψ.

LAST QUARTER – Feb.20,17h.32m. (2°♐20′)

NEW MOON–Mar.29,10h.58m. (9°♈00′)

| 6 | | | | | | MARCH | 2025 | | | [RAPHAEL'S |

D M	D W	Sidereal Time	☉ Long.	☉ Dec.	☽ Long.	☽ Lat.	☽ Dec.	☽ Node	24h. ☽ Long.	☽ Dec.
		h m s	° ′ ″	° ′	° ′ ″	° ′	° ′	° ′	° ′ ″	° ′
1	S	22 38 11	11 ♓ 09 01	7 S 23	1 ♈ 19 03	0 N22	0 N51	28 ♈ 21	8 ♈ 43 21	4 N25
2	Su	22 42 07	12 09 15	7 00	16 07 19	1 42	7 54	28 18	23 30 05	11 17
3	M	22 46 04	13 09 26	6 37	0 ♉ 50 55	2 55	14 30	28 14	8 ♉ 09 06	17 29
4	T	22 50 01	14 09 36	6 14	15 24 05	3 56	20 12	28 11	22 35 25	22 37
5	W	22 53 57	15 09 43	5 51	29 42 43	4 41	24 39	28 08	6 ♊ 45 46	26 18
6	Th	22 57 54	16 09 48	5 28	13 ♊ 44 23	5 08	27 33	28 05	20 38 32	28 20
7	F	23 01 50	17 09 52	5 04	27 28 13	5 17	28 42	28 02	4 ♋ 13 28	28 37
8	S	23 05 47	18 09 52	4 41	10 ♋ 54 25	5 08	28 07	27 59	17 31 11	27 13
9	Su	23 09 43	19 09 51	4 17	24 03 56	4 44	25 57	27 55	0 ♌ 32 51	24 21
10	M	23 13 40	20 09 48	3 54	6 ♌ 58 06	4 05	22 28	27 52	13 19 52	20 21
11	T	23 17 36	21 09 42	3 30	19 38 20	3 15	18 00	27 49	25 53 40	15 29
12	W	23 21 33	22 09 35	3 07	2 ♍ 06 05	2 16	12 50	27 46	8 ♍ 15 45	10 05
13	Th	23 25 30	23 09 25	2 44	14 22 50	1 12	7 15	27 43	20 27 32	4 N22
14	F	23 29 26	24 09 13	2 19	26 30 03	0 N05	1 N28	27 39	2 ♎ 30 37	1 S 26
15	S	23 33 23	25 08 59	1 56	8 ♎ 29 26	1 S 01	4 S 18	27 36	14 26 46	7 08
16	Su	23 37 19	26 08 44	1 32	20 22 53	2 04	9 53	27 33	26 18 07	12 32
17	M	23 41 16	27 08 26	1 08	2 ♏ 12 45	3 02	15 05	27 30	8 ♏ 07 11	17 29
18	T	23 45 12	28 08 07	0 45	14 01 47	3 51	19 43	27 27	19 56 59	21 46
19	W	23 49 09	29 ♓ 07 46	0 S 21	25 53 15	4 31	23 37	27 24	1 ✗ 51 03	25 13
20	Th	23 53 05	0 ♈ 07 24	0 N03	7 ✗ 50 52	4 59	26 32	27 20	13 53 16	27 34
21	F	23 57 02	1 06 59	0 27	19 58 46	5 15	28 18	27 17	26 07 55	28 40
22	S	0 00 59	2 06 33	0 50	2 ♑ 21 15	5 16	28 41	27 14	8 ♑ 39 18	28 20
23	Su	0 04 55	3 06 05	1 14	15 02 35	5 03	27 36	27 11	21 31 32	26 29
24	M	0 08 52	4 05 35	1 38	28 06 35	4 33	25 00	27 08	4 ≈ 48 01	23 09
25	T	0 12 48	5 05 04	2 01	11 ≈ 36 05	3 48	20 57	27 05	18 30 52	18 26
26	W	0 16 45	6 04 31	2 25	25 32 21	2 48	15 38	27 01	2 ♓ 40 20	12 35
27	Th	0 20 41	7 03 55	2 48	9 ♓ 54 27	1 36	9 20	26 58	17 14 11	5 S 54
28	F	0 24 38	8 03 18	3 12	24 38 49	0 S 15	2 S 22	26 55	2 ♈ 07 30	1 N15
29	S	0 28 34	9 02 39	3 35	9 ♈ 39 13	1 N07	4 N51	26 52	17 12 53	8 25
30	Su	0 32 31	10 01 58	3 58	24 47 19	2 26	11 52	26 49	2 ♉ 21 20	15 08
31	M	0 36 28	11 ♈ 01 15	4 N22	9 ♉ 53 44	3 N34	18 N10	26 ♈ 45	17 ♉ 23 27	20 N54

D M	Mercury			Venus			Mars			Jupiter	
	Lat.	Dec.		Lat.	Dec.		Lat.	Dec.		Lat.	Dec.
	° ′	° ′	° ′	° ′	° ′	° ′	° ′	° ′	° ′	° ′	° ′
1	0 N20	0 S 51	0 S 01	6 N 48	10 N32	10 N41	3 N 32	25 N50	25 N 48	0 S 24	21 N53
3	0 47	0 N47	1 N 34	7 07	10 49	10 56	3 28	25 45	25 43	0 23	21 54
5	1 15	2 19	3 01	7 26	11 01	11 05	3 24	25 40	25 37	0 23	21 56
7	1 42	3 40	4 17	7 43	11 08	11 10	3 21	25 35	25 32	0 23	21 58
9	2 09	4 50	5 20	7 59	11 09	11 08	3 17	25 29	25 26	0 22	22 00
11	2 35	5 46	6 07	8 12	11 05	11 00	3 14	25 22	25 19	0 22	22 02
13	2 57	6 25	6 38	8 22	10 54	10 46	3 10	25 16	25 13	0 21	22 04
15	3 14	6 46	6 50	8 29	10 37	10 27	3 07	25 09	25 06	0 21	22 06
17	3 26	6 49	6 44	8 33	10 15	10 01	3 03	25 02	24 58	0 21	22 08
19	3 32	6 34	6 20	8 34	9 47	9 31	3 00	24 55	24 51	0 20	22 10
21	3 30	6 03	5 41	8 30	9 14	8 56	2 57	24 47	24 43	0 20	22 12
23	3 21	5 17	4 50	8 23	8 37	8 18	2 53	24 39	24 34	0 20	22 14
25	3 04	4 20	3 50	8 12	7 58	7 37	2 50	24 30	24 26	0 19	22 16
27	2 42	3 18	2 46	7 57	7 16	6 54	2 47	24 21	24 17	0 19	22 19
29	2 15	2 12	1 N 43	7 40	6 33	6 N11	2 44	24 12	24 N 07	0 19	22 21
31	1 N45	1 N13		7 N 19	5 N50		2 N 41	24 N03		0 S 19	22 N23

FIRST QUARTER–Mar. 6,16h.32m. (16° ♊ 21′)

FULL MOON – Mar.14,06h.55m. (23°♍57′)

D M	☿ Long.	♀ Long.	♂ Long.	♃ Long.	♄ Long.	♅ Long.	♆ Long.	♇ Long.	Lunar Aspects ☉ ☿ ♀ ♂ ♃ ♄ ♅ ♆ ♇
1	27♓06	10♈50	17♋12	12♊19	20♓45	23♉39	28♓55	2♒54	☌ ∠ ☌ ⚹
2	28♓40	10R 50	17 16	12 24	20 52	23 40	28 57	2 56	⎬ ☌ □⚹⎬
3	0♈11	10 47	17 21	12 29	21 00	23 42	28 59	2 57	∠⎬ ∠∠⎬⎬□
4	1 36	10 43	17 26	12 34	21 07	23 44	29 01	2 59	⚹∠⎬⚹⎬⚹∠
5	2 56	10 35	17 33	12 40	21 14	23 45	29 03	3 00	⚹∠∠ ☌⚹△
6	4 11	10 25	17 40	12 45	21 22	23 47	29 06	3 02	□ ⚹⎬☌ ⎍
7	5 18	10 13	17 47	12 51	21 29	23 49	29 08	3 03	□ □⎬
8	6 19	9 58	17 55	12 57	21 37	23 51	29 10	3 05	□□ ⎬∠
9	7 12	9 40	18 04	13 03	21 44	23 53	29 12	3 06	△ ☌∠△⚹△
10	7 57	9 21	18 13	13 09	21 51	23 55	29 15	3 08	⎍△△ ⚹⎍ ☊
11	8 34	8 58	18 23	13 16	21 59	23 57	29 17	3 09	⎍⎍⎬ □□⎍
12	9 02	8 34	18 34	13 22	22 06	23 59	29 19	3 10	∠
13	9 22	8 07	18 45	13 29	22 14	24 01	29 21	3 12	⚹□ ⎍
14	9 33	7 39	18 57	13 36	22 21	24 03	29 24	3 13	☊ ☊ △⎍☊
15	9R 35	7 08	19 09	13 43	22 28	24 05	29 26	3 15	☊☊ △ ⎍△
16	9 29	6 36	19 21	13 50	22 36	24 07	29 28	3 16	□
17	9 15	6 03	19 34	13 57	22 43	24 09	29 31	3 17	⎍⎍ □
18	8 53	5 28	19 48	14 05	22 51	24 11	29 33	3 18	⎍ △ △⎍
19	8 24	4 52	20 02	14 12	22 58	24 14	29 35	3 20	△⎍⎍ △☊△
20	7 49	4 15	20 17	14 20	23 05	24 16	29 37	3 21	△△⎍ ⚹
21	7 08	3 37	20 32	14 28	23 13	24 18	29 40	3 22	☊□ ∠
22	6 22	3 00	20 47	14 36	23 20	24 21	29 42	3 23	□□□ □⎬
23	5 33	2 22	21 03	14 44	23 28	24 23	29 44	3 24	☊ ⎍
24	4 42	1 44	21 20	14 52	23 35	24 26	29 46	3 26	⚹⚹⚹ ⎍⚹△⚹
25	3 49	1 07	21 37	15 01	23 42	24 28	29 49	3 27	☌ △∠ ∠
26	2 56	0♈31	21 54	15 09	23 49	24 31	29 51	3 28	∠⎬⎬ ⎬□⎬
27	2 04	29♓55	22 12	15 18	23 57	24 33	29 53	3 29	⎬ ⎍□ ⎬
28	1 14	29 21	22 30	15 27	24 04	24 36	29 55	3 30	☌ ☌☌△ ☌⚹☌∠
29	0♈27	28 48	22 48	15 36	24 11	24 39	29♓58	3 31	☌ ⚹∠⚹
30	29♓43	28 16	23 07	15 45	24 19	24 41	0♈00	3 32	⎬⎬□∠⎬⎬⎬
31	29♓03	27♓46	23♋26	15♊54	24♓26	24♉44	0♈02	3♒33	⎬∠∠ ⎬∠ ∠□

D M	Saturn Lat.	Saturn Dec.	Uranus Lat.	Uranus Dec.	Neptune Lat.	Neptune Dec.	Pluto Lat.	Pluto Dec.	Mutual Aspects
1	1S55	5S22	0S14	18N28	1S16	1S35	3S22	22S47	1 ☉⎬♀.
3	1 55	5 17	0 14	18 29	1 16	1 33	3 23	22 47	2 ☉□♃. ☉⎍♅. ☿☌♆. ♀Stat.
5	1 55	5 11	0 14	18 30	1 16	1 31	3 23	22 46	3 ☿☌♃.
7	1 55	5 05	0 14	18 31	1 16	1 29	3 23	22 46	5 ☿⚹♇. 4 ☿⎍♆.
9	1 55	4 59	0 14	18 32	1 16	1 27	3 23	22 45	7 ☉⎍h.
11	1 55	4 54	0 14	18 33	1 16	1 26	3 24	22 45	8 ☉△♂. ☉∠♇. ☉⎍☿.
13	1 55	4 48	0 14	18 34	1 16	1 24	3 24	22 45	9 ☿⎍h.
15	1 55	4 42	0 14	18 35	1 16	1 22	3 24	22 44	11 ☿☌♀. ♀⎍♅.
17	1 55	4 36	0 14	18 36	1 16	1 20	3 25	22 44	12 ☉☌h. ☿∠♅.
19	1 55	4 30	0 14	18 37	1 16	1 19	3 25	22 44	14 ☉⚹♅. 15 ☿Stat.
21	1 55	4 25	0 14	18 38	1 16	1 17	3 25	22 44	16 ☉∥♆.
23	1 56	4 19	0 13	18 40	1 16	1 15	3 26	22 43	17 ☿∠♅.
25	1 56	4 13	0 13	18 41	1 16	1 13	3 26	22 43	19 ☉☌♆.
27	1 56	4 08	0 13	18 42	1 16	1 11	3 26	22 43	20 ♂⊥♃.
29	1 56	4 02	0 13	18 43	1 16	1 10	3 27	22 43	21 ♀⚹♇.
31	1S56	3S57	0S13	18N45	1S16	1S08	3S27	22S43	23 ☉☌♀. ☉⚹♃. ☉⚹♇. ♀☌♃. ☉⎍♆.
									24 ☉☌☿.
									25 ☿⚹♇. ☿⎍♆.
									26 ☿☌♃. 27 ♀☌♆.
									28 ☉∥☿.
									30 ☉∠♅. ☿☌♆. ☉⎍h.
									31 ☿⎍♆.

LAST QUARTER – Mar.22,11h.29m. (2°♑05′)

NEW MOON–Apr.27,19h.31m. (7°♉47′)

| 8 | | | | | APRIL | 2025 | | | [RAPHAEL'S |

D	D	Sidereal	☉	☉	☽	☽	☽	☽	☽	24h.	
M	W	Time	Long.	Dec.	Long.	Lat.	Dec.	Node	☽ Long.	☽ Dec.

		h m s	° ′ ″	° ′	° ′ ″	° ′	° ′	° ′	° ′	° ′ ″	° ′
1	T	0 40 24	12 ♈ 00 30	4 N45	24 ♉ 49 29	4 N27	23 N17	26 ♓ 42	2 ♊ 10 59	25 N16
2	W	0 44 21	12 59 42	5 08	9 ♊ 27 16	5 01	26 50	26 39	16 37 47	27 55
3	Th	0 48 17	13 58 53	5 31	23 42 14	5 16	28 33	26 36	0 ♋ 40 24	28 42
4	F	0 52 14	14 58 01	5 54	7 ♋ 32 15	5 11	28 24	26 33	14 17 54	27 41
5	S	0 56 10	15 57 06	6 17	20 57 33	4 50	26 34	26 30	27 31 28	25 07
6	Su	1 00 07	16 56 09	6 39	4 ♌ 00 00	4 14	23 22	26 26	10 ♌ 23 35	21 20
7	M	1 04 03	17 55 10	7 02	16 42 36	3 26	19 06	26 23	22 57 31	16 41
8	T	1 08 00	18 54 09	7 24	29 08 46	2 30	14 06	26 20	5 ♍ 16 45	11 25
9	W	1 11 57	19 53 05	7 47	11 ♍ 21 56	1 27	8 39	26 17	17 24 40	5 49
10	Th	1 15 53	20 51 59	8 09	23 25 20	0 N22	2 N57	26 14	29 24 18	0 N04
11	F	1 19 50	21 50 51	8 31	5 ♎ 21 51	0 S44	2 S48	26 11	11 ♎ 18 19	5 S38
12	S	1 23 46	22 49 41	8 53	17 13 57	1 47	8 25	26 07	23 09 03	11 07
13	Su	1 27 43	23 48 29	9 14	29 03 50	2 45	13 43	26 04	4 ♏ 58 34	16 11
14	M	1 31 39	24 47 15	9 36	10 ♏ 53 29	3 36	18 31	26 01	16 48 50	20 40
15	T	1 35 36	25 45 59	9 57	22 44 53	4 18	22 37	25 58	28 41 54	24 20
16	W	1 39 32	26 44 41	10 19	4 ♐ 40 10	4 49	25 48	25 55	10 ♐ 40 00	26 59
17	Th	1 43 29	27 43 22	10 40	16 41 45	5 07	27 52	25 51	22 45 46	28 25
18	F	1 47 26	28 42 01	11 01	28 52 27	5 12	28 38	25 48	5 ♑ 02 11	28 29
19	S	1 51 22	29 ♈ 40 38	11 21	11 ♑ 15 26	5 03	27 59	25 45	17 32 38	27 07
20	Su	1 55 19	0 ♉ 39 13	11 42	23 54 15	4 38	25 53	25 42	0 ♒ 20 44	24 19
21	M	1 59 15	1 37 47	12 02	6 ♒ 52 31	3 59	22 25	25 39	13 30 00	20 12
22	T	2 03 12	2 36 19	12 23	20 13 33	3 07	17 42	25 36	27 03 27	14 56
23	W	2 07 08	3 34 50	12 43	3 ♓ 59 53	2 02	11 56	25 32	11 ♓ 02 55	8 44
24	Th	2 11 05	4 33 19	13 02	18 12 29	0 S47	5 S23	25 29	25 28 20	1 S55
25	F	2 15 01	5 31 46	13 22	2 ♈ 50 01	0 N32	1 N37	25 26	10 ♈ 16 56	5 N11
26	S	2 18 58	6 30 12	13 41	17 48 16	1 51	8 42	25 23	25 23 00	12 07
27	Su	2 22 55	7 28 35	14 00	2 ♉ 59 59	3 03	15 23	25 20	10 ♉ 37 56	18 25
28	M	2 26 51	8 26 58	14 19	18 15 33	4 03	21 09	25 17	25 51 28	23 31
29	T	2 30 48	9 25 18	14 38	3 ♊ 24 24	4 44	25 29	25 13	10 ♊ 53 10	26 59
30	W	2 34 44	10 ♉ 23 36	14 N56	18 ♊ 16 45	5 N06	28 N00	25 ♓ 10	25 ♊ 34 19	28 N31

D		Mercury			Venus			Mars			Jupiter	
M	Lat.		Dec.	Lat.		Dec.		Lat.		Dec.	Lat.		Dec.

	° ′	° ′	° ′	° ′	° ′	° ′	° ′	° ′	° ′	° ′	° ′	° ′
1	1 N29	0 N45	0 N 18	7 N 08	5 N29	5 N08	2 N 39	23 N58	23 N 53	0 S 18	22 N24
3	0 57	0 S 06	0 S 28	6 45	4 47	4 27	2 36	23 47	23 42	0 18	22 27
5	0 N25	0 48	0 S 28 / 1 05	6 20	4 08	3 49	2 33	23 37	23 32	0 18	22 29
7	0 S05	1 20	1 32	5 54	3 31	3 14	2 30	23 26	23 21	0 17	22 31
9	0 33	1 42	1 48	5 27	2 58	2 43	2 27	23 15	23 09	0 17	22 33
11	0 59	1 53	1 55	5 00	2 29	2 15	2 25	23 03	22 57	0 17	22 35
13	1 22	1 54	1 51	4 33	2 03	1 51	2 22	22 51	22 45	0 17	22 38
15	1 43	1 46	1 39	4 06	1 41	1 32	2 19	22 39	22 32	0 16	22 40
17	2 01	1 30	1 18	3 40	1 23	1 16	2 17	22 26	22 19	0 16	22 42
19	2 16	1 05	0 50	3 15	1 10	1 04	2 14	22 13	22 06	0 16	22 44
21	2 28	0 S 32	0 S 14	2 50	1 00	0 57	2 11	21 59	21 52	0 15	22 46
23	2 38	0 N07	0 N 29	2 26	0 54	0 53	2 09	21 45	21 38	0 15	22 48
25	2 45	0 52	1 17	2 04	0 52	0 52	2 06	21 30	21 23	0 15	22 50
27	2 50	1 44	2 12	1 42	0 54	0 56	2 04	21 16	21 08	0 15	22 52
29	2 53	2 41	3 N 11	1 21	0 58	1 N02	2 02	21 00	20 N 52	0 14	22 54
31	2 S 53	3 N43		1 N 01	1 N06		1 N 59	20 N44		0 S 14	22 N56

FIRST QUARTER–Apr. 5,02h.15m. (15°♋33′)

| EPHEMERIS] | | | | APRIL | | 2025 | | | | | | | | | | 9 |

D	☿	♀	♂	♃	♄	♅	♆	♇	Lunar Aspects								
M	Long.	Long.	Long.	Long.	Long.	Long.	Long.	Long.	☉	☿	♀	♂	♃	♄	♅	♆	♇
1	28 ✕ 28	27 ✕ 18	23 ♋ 46	16 ♊ 03	24 ✕ 33	24 ♉ 47	0 ♈ 04	3 ≈ 34	∠	✳	✳	✳			✳	♂	✳
2	27 R 58	26 R 52	24 06	16 13	24 40	24 50	0 07	3 35	✳			∠	♂				△
3	27 33	26 28	24 26	16 22	24 47	24 52	0 09	3 35	□	□	⊼		□	⊼	□	⧉
4	27 14	26 06	24 47	16 32	24 54	24 55	0 11	3 36					⊼	△	✳	
5	27 00	25 47	25 08	16 42	25 02	24 58	0 13	3 37	□	△	△	♂	⊼			
6	26 52	25 30	25 29	16 52	25 09	25 01	0 16	3 38				⧉		∠	⧉	△	♂
7	26 D 50	25 15	25 51	17 01	25 16	25 04	0 18	3 39	△	⧉			✳			⧉
8	26 52	25 03	26 13	17 12	25 23	25 07	0 20	3 39	⧉			⊼		□		
9	27 01	24 53	26 35	17 22	25 30	25 10	0 22	3 40				∠				
10	27 14	24 45	26 58	17 32	25 37	25 13	0 24	3 41	♂	♂	✳	□	♂	△		⧉
11	27 32	24 40	27 20	17 42	25 44	25 16	0 26	3 42							⧉	♂	△
12	27 55	24 38	27 44	17 53	25 50	25 19	0 29	3 42					△			
13	28 22	24 D 38	28 07	18 03	25 57	25 22	0 31	3 43	♂		□	⧉				□
14	28 54	24 40	28 31	18 14	26 04	25 25	0 33	3 43		⧉	⧉		⧉			
15	29 ✕ 30	24 45	28 55	18 25	26 11	25 28	0 35	3 44			△		△	♂		
16	0 ♈ 10	24 51	29 19	18 36	26 18	25 31	0 37	3 44		△		△			△	✳
17	0 53	25 01	29 ♋ 43	18 47	26 24	25 35	0 39	3 45	⧉			⧉	♂			∠
18	1 40	25 12	0 ♌ 08	18 58	26 31	25 38	0 41	3 45	△	□	□			□	□	⊼
19	2 30	25 25	0 33	19 09	26 38	25 41	0 43	3 46						⧉		
20	3 24	25 41	0 58	19 20	26 44	25 44	0 45	3 46			✳		✳	△		
21	4 21	25 58	1 23	19 31	26 51	25 47	0 47	3 47	□	✳	∠	♂	⧉	∠	✳	♂
22	5 20	26 17	1 49	19 43	26 57	25 51	0 49	3 47		∠	⊼		△	⊼	□	∠
23	6 23	26 38	2 15	19 54	27 04	25 54	0 51	3 47	✳	⊼					⊼	⊼
24	7 28	27 01	2 41	20 05	27 10	25 57	0 53	3 48	∠			⧉	□			∠
25	8 36	27 26	3 07	20 17	27 17	26 01	0 55	3 48	⊼	♂	♂	△		♂	✳	✳
26	9 46	27 52	3 34	20 29	27 23	26 04	0 57	3 48	♂				✳			∠
27	10 58	28 20	4 00	20 41	27 29	26 07	0 59	3 48			⊼	□	∠	⊼	⊼	
28	12 13	28 50	4 27	20 52	27 36	26 11	1 01	3 49		⊼	□	∠	⊼			
29	13 31	29 20	4 55	21 04	27 42	26 14	1 03	3 49	⊼	∠	✳	✳		✳	♂	✳	△
30	14 ♈ 50	29 ✕ 53	5 ♌ 22	21 ♊ 16	27 ✕ 48	26 ♉ 17	1 ♈ 05	3 ≈ 49	✳		∠	♂				⧉

D	Saturn		Uranus		Neptune		Pluto		Mutual Aspects
M	Lat.	Dec.	Lat.	Dec.	Lat.	Dec.	Lat.	Dec.	
1	1S56	3S54	0S13	18N45	1S16	1S07	3S27	22S43	2 ☉∥♀.
3	1 56	3 48	0 13	18 47	1 16	1 05	3 28	22 43	4 ♂✳♅. ♄✳♅.
5	1 57	3 43	0 13	18 48	1 16	1 03	3 28	22 43	5 ☉Q♇. ♂△♄.
7	1 57	3 38	0 13	18 50	1 16	1 02	3 28	22 43	6 ☉✳♃. ♀△♂. ☿∥♆. ♀∥♄.
9	1 57	3 32	0 13	18 51	1 16	1 00	3 29	22 43	7 ♀♂♄. ☿Stat.
									8 ☉⊥♅. ♀✳♅.
11	1 57	3 27	0 13	18 53	1 16	0 58	3 29	22 43	13 ♀Stat.
13	1 58	3 22	0 13	18 54	1 16	0 57	3 29	22 43	14 ☉⊼♀. ☿∥♀. ♂∥♇.
15	1 58	3 17	0 13	18 56	1 16	0 55	3 30	22 43	15 ☉⊼♄. ☉✳♅. ♂∥♃.
17	1 58	3 11	0 13	18 57	1 16	0 54	3 30	22 43	17 ☿♂♆. ♃⧉♇.
19	1 58	3 06	0 13	18 59	1 16	0 52	3 31	22 43	18 ☿∥♀.
									19 ♂△♀.
21	1 59	3 02	0 13	19 00	1 16	0 50	3 31	22 43	20 ☉⊼♀. ☿✳♇. ♀✳♅. ☿∥♆.
23	1 59	2 57	0 13	19 02	1 16	0 49	3 31	22 43	21 ☉□♂.
25	1 59	2 52	0 13	19 04	1 16	0 47	3 32	22 44	22 ☉⊥♀. ☉⊥♄.
27	2 00	2 47	0 13	19 05	1 17	0 46	3 32	22 44	23 ☉□♇.
29	2 00	2 43	0 13	19 07	1 17	0 44	3 32	22 44	26 ☉∠♃. ♂♂♇.
31	2S00	2S38	0S13	19N08	1S17	0S43	3S33	22S45	27 ☿∠♃. ♂♂♇.
									26 ☉⊥♆.
									29 ☿∥♄.

NEW MOON – May 27,03h.02m. (6°♊06')

D M	D W	Sidereal Time	☉ Long.	☉ Dec.	☽ Long.	☽ Lat.	☽ Dec.	Node	☽ Long. 24h.	☽ Dec.
		h m s	° ′ ″	° ′	° ′ ″	° ′	° ′	° ′	° ′ ″	° ′
1	Th	2 38 41	11 ♉ 21 53	15 N14	2 ♋ 45 13	5 N07	28 N32	25 ♓ 07	9 ♋ 49 04	28 N04
2	F	2 42 37	12 20 08	15 32	16 45 38	4 50	27 11	25 04	23 34 56	25 54
3	S	2 46 34	13 18 20	15 50	0 ♌ 17 05	4 17	24 16	25 01	6 ♌ 52 23	22 21
4	Su	2 50 30	14 16 31	16 07	13 21 14	3 31	20 11	24 57	19 44 07	17 49
5	M	2 54 27	15 14 39	16 24	26 01 36	2 36	15 17	24 54	2 ♍ 14 14	12 39
6	T	2 58 24	16 12 45	16 41	8 ♍ 22 37	1 35	9 54	24 51	14 27 22	7 06
7	W	3 02 20	17 10 50	16 58	20 29 04	0 N32	4 N15	24 48	26 28 17	1 N24
8	Th	3 06 17	18 08 52	17 14	2 ♎ 25 33	0 S33	1 S28	24 45	8 ♎ 21 23	4 S18
9	F	3 10 13	19 06 53	17 30	14 16 15	1 35	7 05	24 42	20 10 33	9 48
10	S	3 14 10	20 04 52	17 46	26 04 42	2 33	12 26	24 38	1 ♏ 59 00	14 58
11	Su	3 18 06	21 02 49	18 01	7 ♏ 53 47	3 24	17 21	24 35	13 49 19	19 35
12	M	3 22 03	22 00 45	18 16	19 45 49	4 06	21 37	24 32	25 43 30	23 27
13	T	3 25 59	22 58 40	18 31	1 ✓ 42 33	4 38	25 02	24 29	7 ✓ 43 08	26 21
14	W	3 29 56	23 56 32	18 45	13 45 26	4 58	27 22	24 26	19 49 37	28 04
15	Th	3 33 53	24 54 24	19 00	25 55 50	5 04	28 26	24 23	2 ♑ 04 18	28 27
16	F	3 37 49	25 52 14	19 13	8 ♑ 15 13	4 56	28 07	24 19	14 28 49	27 25
17	S	3 41 46	26 50 03	19 27	20 45 22	4 35	26 21	24 16	27 05 08	24 58
18	Su	3 45 42	27 47 51	19 40	3 ≈ 28 28	3 59	23 15	24 13	9 ≈ 55 40	21 14
19	M	3 49 39	28 45 37	19 53	16 27 06	3 10	18 56	24 10	23 03 06	16 23
20	T	3 53 35	29 ♉ 43 23	20 05	29 44 02	2 11	13 36	24 07	6 ♓ 30 13	10 38
21	W	3 57 32	0 ♊ 41 07	20 18	13 ♓ 21 53	1 S02	7 29	24 03	20 19 16	4 S13
22	Th	4 01 28	1 38 50	20 29	27 22 25	0 N12	0 S51	24 00	4 ♈ 31 20	2 N34
23	F	4 05 25	2 36 32	20 41	11 ♈ 45 50	1 28	6 N00	23 57	19 05 33	9 23
24	S	4 09 22	3 34 13	20 52	26 29 58	2 39	12 41	23 54	3 ♉ 58 21	15 50
25	Su	4 13 18	4 31 54	21 03	11 ♉ 29 46	3 40	18 46	23 51	19 03 10	21 25
26	M	4 17 15	5 29 33	21 13	26 37 21	4 27	23 43	23 48	4 ♊ 11 01	25 37
27	T	4 21 11	6 27 11	21 23	11 ♊ 42 54	4 54	27 03	23 44	19 11 43	27 59
28	W	4 25 08	7 24 48	21 33	26 36 19	5 02	28 25	23 41	3 ♋ 55 41	28 20
29	Th	4 29 04	8 22 23	21 42	11 ♋ 08 57	4 49	27 46	23 38	15 32 26	26 45
30	F	4 33 01	9 19 58	21 51	25 15 00	4 19	25 20	23 35	2 ♌ 07 08	23 33
31	S	4 36 57	10 ♊ 17 31	21 N59	8 ♌ 51 57	3 N35	21 N30	23 ♓ 32	15 ♌ 29 37	19 N12

D M	Mercury Lat.	Mercury Dec.		Venus Lat.	Venus Dec.		Mars Lat.	Mars Dec.		Jupiter Lat.	Jupiter Dec.
	° ′	° ′	° ′	° ′	° ′	° ′	° ′	° ′	° ′	° ′	° ′
1	2 S53	3 N43	4 N16	1 N01	1 N06	1 N11	1 N59	20 N44	20 N36	0 S14	22 N56
3	2 50	4 49	5 24	0 42	1 17	1 24	1 57	20 28	20 20	0 14	22 57
5	2 46	6 00	6 37	0 24	1 31	1 39	1 55	20 11	20 03	0 14	22 59
7	2 39	7 15	7 53	0 N07	1 47	1 57	1 52	19 54	19 46	0 13	23 01
9	2 30	8 33	9 13	0 S09	2 06	2 17	1 50	19 37	19 28	0 13	23 02
11	2 19	9 53	10 35	0 24	2 27	2 39	1 48	19 19	19 10	0 13	23 04
13	2 06	11 16	11 59	0 38	2 51	3 03	1 46	19 01	18 51	0 13	23 05
15	1 51	12 41	13 24	0 51	3 16	3 29	1 44	18 42	18 32	0 13	23 07
17	1 34	14 07	14 50	1 03	3 43	3 57	1 42	18 23	18 13	0 12	23 08
19	1 16	15 33	16 15	1 15	4 12	4 27	1 39	18 03	17 53	0 12	23 09
21	0 56	16 58	17 39	1 26	4 42	4 57	1 37	17 43	17 33	0 12	23 10
23	0 36	18 20	19 01	1 35	5 13	5 30	1 35	17 23	17 12	0 12	23 11
25	0 S15	19 40	20 17	1 45	5 46	6 03	1 33	17 02	16 51	0 11	23 12
27	0 N07	20 54	21 28	1 53	6 20	6 37	1 31	16 41	16 30	0 11	23 13
29	0 27	22 01	22 N32	2 00	6 55	7 N12	1 30	16 19	16 N08	0 11	23 14
31	0 N47	23 N00		2 S07	7 N30		1 N28	15 N57		0 S11	23 N15

FIRST QUARTER – May 4,13h.52m. (14°♌21')

FULL MOON – May 12, 16h.56m. (22°♏13′)

D M	☿ Long.	♀ Long.	♂ Long.	♃ Long.	♄ Long.	♅ Long.	♆ Long.	♇ Long.
1	16♈12	0♈26	5♋49	21♊28	27♓54	26♉21	1♈07	3♒49
2	17 36	1 01	6 17	21 40	28 00	26 24	1 09	3 49
3	19 02	1 37	6 45	21 52	28 06	26 28	1 10	3 49
4	20 29	2 15	7 13	22 05	28 12	26 31	1 12	3 49
5	21 59	2 53	7 41	22 17	28 18	26 34	1 14	3R 49
6	23 31	3 33	8 10	22 29	28 24	26 38	1 16	3 49
7	25 05	4 14	8 38	22 42	28 29	26 41	1 17	3 49
8	26 41	4 55	9 07	22 54	28 35	26 45	1 19	3 49
9	28 19	5 38	9 36	23 07	28 41	26 48	1 21	3 49
10	29♈59	6 22	10 05	23 19	28 46	26 52	1 22	3 49
11	1♉41	7 07	10 34	23 32	28 52	26 55	1 24	3 48
12	3 25	7 52	11 04	23 44	28 57	26 59	1 26	3 48
13	5 10	8 38	11 33	23 57	29 02	27 02	1 27	3 48
14	6 58	9 26	12 03	24 10	29 08	27 06	1 29	3 48
15	8 48	10 14	12 33	24 23	29 13	27 09	1 30	3 47
16	10 40	11 02	13 03	24 36	29 18	27 13	1 32	3 47
17	12 34	11 52	13 33	24 49	29 23	27 16	1 33	3 47
18	14 29	12 42	14 03	25 01	29 28	27 20	1 35	3 46
19	16 27	13 33	14 33	25 14	29 33	27 23	1 36	3 46
20	18 27	14 24	15 04	25 28	29 38	27 27	1 38	3 46
21	20 28	15 16	15 34	25 41	29 43	27 30	1 39	3 45
22	22 31	16 09	16 05	25 54	29 48	27 34	1 40	3 45
23	24 36	17 02	16 36	26 07	29 53	27 37	1 42	3 44
24	26 42	17 56	17 07	26 20	29♓57	27 41	1 43	3 44
25	28♉50	18 51	17 38	26 33	0♈02	27 44	1 44	3 43
26	0♊59	19 45	18 09	26 47	0 06	27 48	1 46	3 43
27	3 10	20 41	18 41	27 00	0 10	27 51	1 47	3 42
28	5 21	21 37	19 13	27 13	0 15	27 54	1 48	3 41
29	7 32	22 33	19 44	27 26	0 19	27 58	1 49	3 41
30	9 44	23 30	20 16	27 40	0 23	28 01	1 50	3 40
31	11♊56	24♈27	20♋48	27♊53	0♈27	28♉05	1♈51	3♒39

Lunar Aspects

D	☉	☿	♀	♂	♃	♄	♅	♆	♇
1	∠		□	⊼		□	⊼	□	
2	⚹	□			⊼			∠	
3			△	☌		△	⚹	△	☍
4	□		△	☌	∠		⚹		
5		△			⊼			□	
6		□					⊼		
7	△			☌	∠				☍
8	□		☌		⚹		☍	☍	△
9				⚹				△	
10	☍				△				
11	☍				□	□			□
12		□				⊼	□	⊼	
13			△	△			△	☍	△
14			△	△					⊼
15	□		⊼	☍	□				
16	⊼	△	□				⊼		⊼
17									
18			□	⊼	△	⊼	△	⊼	☌
19	□		⊼	☌	⊼	△	⊼	⊼	⊼
20	□			∠		△	⊼	□	⊼
21			⊼						⊼
22	⚹	⚹		⊼	□	☌	⚹	☌	⚹
23	⊼	∠	☌	△			⊼		
24					⚹	⊼	⊼	⊼	□
25	⊼			□	∠	∠		∠	
26		☌	⊼		⊼	⚹	☌	⚹	△
27	☌		∠	⊼					⊼
28			⊼		☌	□	⊼	□	
29	⊼	∠					⊼		
30	∠	∠		⊼	⊼	△	⚹	△	
31	⚹	⚹			∠	□			☍

D M	Saturn Lat.	Saturn Dec.	Uranus Lat.	Uranus Dec.	Neptune Lat.	Neptune Dec.	Pluto Lat.	Pluto Dec.
1	2S00	2S38	0S13	19N08	1S17	0S43	3S33	22S45
3	2 01	2 34	0 13	19 10	1 17	0 42	3 33	22 45
5	2 01	2 29	0 13	19 12	1 17	0 40	3 34	22 45
7	2 01	2 25	0 13	19 13	1 17	0 39	3 34	22 46
9	2 02	2 21	0 13	19 15	1 17	0 38	3 34	22 46
11	2 02	2 17	0 13	19 16	1 17	0 37	3 35	22 47
13	2 03	2 13	0 13	19 18	1 17	0 35	3 35	22 47
15	2 03	2 09	0 13	19 20	1 17	0 34	3 35	22 47
17	2 03	2 06	0 13	19 21	1 17	0 33	3 36	22 48
19	2 04	2 02	0 13	19 23	1 17	0 32	3 36	22 49
21	2 04	1 59	0 13	19 24	1 17	0 31	3 36	22 49
23	2 05	1 56	0 13	19 26	1 18	0 30	3 37	22 50
25	2 05	1 52	0 13	19 28	1 18	0 29	3 37	22 50
27	2 06	1 49	0 13	19 29	1 18	0 28	3 37	22 51
29	2 06	1 46	0 13	19 31	1 18	0 28	3 38	22 52
31	2S07	1S44	0S13	19N32	1S18	0S27	3S38	22S52

Mutual Aspects

1 ☿ Q ♇.   2 ♀ ☌ ♆.
3 ⊙ ∠ h. ♂ ∠ ♃.
4 ☿ ⊥ ♅. ♇ Stat.
5 ☿ ⚹ ♃.
6 ⊙ ⊥ ♃. ⊙ ∠ ♆. ♀ ⚹ ♇.
7 ♂ Q ♅.   8 ☿ ⊼ ♅.
9 ☿ ⚹ h.
10 ♀ ⚼ h.
11 ☿ ⚹ ♆. ♂ ‖ ♅.
12 ☿ □ ♇.   13 ☿ ⊥ h.
14 ⊙ ⚹ ♃. ☿ ⊥ ♆. ⊙ ‖ ♂.
15 ☿ ∠ ♃.
16 ☿ ⚹ ♀. ⊙ ‖ ♅.
17 ☿ ∠ ♆. ⊙ ☌ ♅.
18 ☿ □ ♂. ☿ ∠ h. ♀ ∠ ♅.
19 ☿ ∠ ♆. ♀ Q ♃. ♂ ∠ h.
20 ⊙ ⚹ h.   21 ☿ ∠ ♃.
22 ⊙ ⚹ ♆. ☿ ∠ ♀. ♀ ∠ ♂. ♀ Q ♇. ♀ ‖ ♂.
23 ♂ □ ♅.
24 ⊙ △ ♇. ☿ ⚹ ♃. ☿ ∠ ♅.
25 ☿ ‖ ♅.
26 ⊙ ⚹ h. ☿ ⚹ ♅.
27 ☿ △ ♇.
28 ⊙ Q ♂. ♀ ⊥ ♅. ⊙ ‖ ☿.
29 ☿ ∠ ♀. ☿ Q ♂.
30 ⊙ ∠ ☿. ♃ ± ♇.
31 ☿ Q h. ☿ ⚼ ♇.

LAST QUARTER – May 20, 11h.59m. (29°♒43′)

NEW MOON–June25,10h.32m. (4°♋08′)

D M	D W	Sidereal Time	⊙ Long.	⊙ Dec.	☽ Long.	☽ Lat.	☽ Dec.	☽ Node	24h. ☽ Long.	☽ Dec.
		h m s	° ′ ″	° ′	° ′ ″	° ′	° ′	° ′	° ′	° ′
1	Su	4 40 54	11 ♊ 15 02	22 N08	22 ♌ 00 25	2 N41	16 N42	23 ⌥ 28	28 ♌ 24 49	14 N04
2	M	4 44 51	12 12 33	22 15	4 ♍ 43 20	1 40	11 20	23 25	10 ♍ 56 33	8 31
3	T	4 48 47	13 10 02	22 23	17 05 07	0 N36	5 N39	23 22	23 09 41	2 N47
4	W	4 52 44	14 07 29	22 30	29 10 56	0 S28	0 S06	23 19	5 ♎ 09 32	2 S57
5	Th	4 56 40	15 04 56	22 36	11 ♎ 06 07	1 30	5 46	23 16	17 01 19	8 31
6	F	5 00 37	16 02 21	22 42	22 55 42	2 27	11 11	23 13	28 49 50	13 45
7	S	5 04 33	16 59 45	22 48	4 ♏ 44 11	3 18	16 12	23 09	10 ♏ 39 14	18 30
8	Su	5 08 30	17 57 08	22 54	16 35 21	4 00	20 38	23 06	22 32 53	22 33
9	M	5 12 26	18 54 31	22 58	28 32 08	4 32	24 15	23 03	4 ✗ 33 19	25 42
10	T	5 16 23	19 51 52	23 03	10 ✗ 36 39	4 53	26 52	23 00	16 42 15	27 43
11	W	5 20 20	20 49 13	23 07	22 50 15	5 00	28 14	22 57	29 00 43	28 24
12	Th	5 24 16	21 46 33	23 11	5 ♑ 13 43	4 53	28 13	22 54	11 ♑ 29 17	27 40
13	F	5 28 13	22 43 52	23 14	17 47 30	4 32	26 45	22 50	24 08 23	25 29
14	S	5 32 09	23 41 11	23 17	0 ≈ 32 01	3 57	23 53	22 47	6 ≈ 58 29	21 59
15	Su	5 36 06	24 38 29	23 20	13 27 53	3 09	19 48	22 44	20 00 23	17 22
16	M	5 40 02	25 35 47	23 22	26 36 07	2 11	14 42	22 41	3 ♓ 15 17	11 51
17	T	5 43 59	26 33 04	23 24	9 ♓ 58 05	1 S05	8 50	22 38	16 44 43	5 S41
18	W	5 47 55	27 30 21	23 25	23 35 22	0 N07	2 S26	22 34	0 ♈ 30 11	0 N52
19	Th	5 51 52	28 27 38	23 26	7 ♈ 29 17	1 20	4 N11	22 31	14 32 42	7 30
20	F	5 55 49	29 ♊ 24 55	23 26	21 40 21	2 29	10 45	22 28	28 52 04	13 53
21	S	5 59 45	0 ♋ 22 11	23 26	6 ♉ 07 30	3 30	16 51	22 25	13 ♉ 26 12	19 37
22	Su	6 03 42	1 19 28	23 26	20 47 33	4 18	22 05	22 22	28 10 46	24 14
23	M	6 07 38	2 16 44	23 25	5 ♊ 34 58	4 49	25 58	22 19	12 ♊ 59 11	27 16
24	T	6 11 35	3 14 00	23 24	20 22 20	5 01	28 05	22 15	27 43 24	28 24
25	W	6 15 31	4 11 16	23 22	5 ♋ 01 20	4 53	28 13	22 12	12 ♋ 15 11	27 33
26	Th	6 19 28	5 08 31	23 20	19 24 09	4 26	26 25	22 09	26 27 31	24 54
27	F	6 23 24	6 05 47	23 18	3 ♌ 24 48	3 44	23 01	22 06	10 ♌ 15 40	20 51
28	S	6 27 21	7 03 01	23 15	16 59 56	2 50	18 26	22 03	23 37 38	15 51
29	Su	6 31 18	8 00 15	23 12	0 ♍ 08 55	1 49	13 07	22 00	6 ♍ 34 04	10 17
30	M	6 35 14	8 ♋ 57 29	23 N08	12 ♍ 53 30	0 N43	7 N23	21 ♓ 56	19 ♍ 07 43	4 N28

D M	Mercury Lat.	Mercury Dec.		Venus Lat.	Venus Dec.		Mars Lat.	Mars Dec.		Jupiter Lat.	Jupiter Dec.
	° ′	° ′	° ′	° ′	° ′	° ′	° ′	° ′	° ′	° ′	° ′
1	0 N57	23 N26	23 N 49	2 S 11	7 N48	8 N06	1 N 27	15 N46	15 N 34	0 S 11	23 N15
3	1 14	24 10	24 28	2 16	8 24	8 43	1 25	15 23	15 12	0 10	23 16
5	1 29	24 43	24 56	2 22	9 01	9 20	1 23	15 00	14 48	0 10	23 16
7	1 41	25 06	25 13	2 26	9 38	9 57	1 21	14 37	14 25	0 10	23 16
9	1 51	25 17	25 19	2 30	10 16	10 35	1 19	14 13	14 01	0 10	23 16
11	1 58	25 18	25 15	2 33	10 53	11 12	1 17	13 49	13 36	0 10	23 17
13	2 01	25 09	25 02	2 36	11 31	11 50	1 16	13 24	13 12	0 09	23 17
15	2 02	24 52	24 41	2 38	12 08	12 27	1 14	12 59	12 47	0 09	23 17
17	1 59	24 27	24 12	2 40	12 46	13 04	1 12	12 34	12 21	0 09	23 17
19	1 54	23 56	23 38	2 41	13 22	13 41	1 10	12 09	11 56	0 09	23 16
21	1 46	23 19	22 58	2 41	13 59	14 17	1 09	11 43	11 30	0 09	23 16
23	1 35	22 37	22 14	2 41	14 35	14 52	1 07	11 17	11 03	0 08	23 16
25	1 22	21 51	21 27	2 41	15 10	15 27	1 05	10 50	10 37	0 08	23 15
27	1 07	21 02	20 37	2 40	15 44	16 01	1 04	10 23	10 10	0 08	23 15
29	0 49	20 12	19 N 46	2 39	16 18	16 N34	1 02	9 56	9 N 43	0 08	23 14
31	0 N29	19 N20		2 S 37	16 N50		1 N 00	9 N29		0 S 08	23 N13

FIRST QUARTER–June 3,03h.41m. (12°♍50′)

FULL MOON – June 11, 07h.44m. (20°♐39')

Planetary Longitudes

D M	☿ Long.	♀ Long.	♂ Long.	♃ Long.	♄ Long.	♅ Long.	♆ Long.	♇ Long.
1	14♊08	25♈24	21♋19	28♊07	0♈31	28♉08	1♈52	3♒39
2	16 19	26 22	21 52	28 20	0 35	28 12	1 54	3R 38
3	18 30	27 21	22 24	28 34	0 39	28 15	1 55	3 37
4	20 40	28 20	22 56	28 47	0 43	28 19	1 56	3 36
5	22 48	29♈19	23 28	29 01	0 46	28 22	1 56	3 36
6	24 55	0♉18	24 01	29 14	0 50	28 25	1 57	3 35
7	27 01	1 18	24 34	29 28	0 53	28 29	1 58	3 34
8	29♊04	2 18	25 06	29 41	0 57	28 32	1 59	3 33
9	1♋06	3 18	25 39	29♊55	1 00	28 35	2 00	3 32
10	3 05	4 19	26 12	0♋08	1 03	28 39	2 01	3 31
11	5 03	5 20	26 45	0 22	1 06	28 42	2 02	3 30
12	6 58	6 22	27 18	0 36	1 09	28 45	2 02	3 29
13	8 51	7 23	27 51	0 49	1 12	28 49	2 03	3 28
14	10 41	8 25	28 24	1 03	1 15	28 52	2 04	3 27
15	12 29	9 27	28 58	1 17	1 18	28 55	2 04	3 26
16	14 15	10 30	29♋31	1 30	1 21	28 58	2 05	3 25
17	15 58	11 32	0♍05	1 44	1 23	29 01	2 06	3 24
18	17 39	12 35	0 38	1 58	1 26	29 05	2 06	3 23
19	19 19	13 39	1 12	2 11	1 28	29 08	2 07	3 22
20	20 54	14 42	1 46	2 25	1 30	29 11	2 07	3 21
21	22 27	15 46	2 20	2 39	1 33	29 14	2 08	3 20
22	23 58	16 49	2 54	2 53	1 35	29 17	2 08	3 19
23	25 26	17 53	3 28	3 06	1 37	29 20	2 08	3 18
24	26 52	18 58	4 02	3 20	1 39	29 23	2 09	3 16
25	28 16	20 02	4 36	3 34	1 40	29 26	2 09	3 15
26	29♋36	21 07	5 11	3 47	1 42	29 29	2 09	3 14
27	0♌55	22 12	5 45	4 01	1 44	29 32	2 10	3 13
28	2 10	23 17	6 20	4 15	1 45	29 35	2 10	3 12
29	3 23	24 22	6 54	4 28	1 47	29 38	2 10	3 10
30	4♌32	25♉27	7♍29	4♋42	1♈48	29♉41	2♈10	3♒09

Lunar Aspects

D M	☉	☿	♀	♂	♃	♄	♅	♆	♇
1			△	☌	⚹		□	Q	
2									
3	□	□	Q	⚼					Q
4					☌	☍	△	☍	△
5	△			∠				Q	
6		△		⚹					□
7	Q		☌		△				
8		Q			Q	Q		☍	Q
9			□		△	☍	△	⚹	
10	△								
11	☍		Q	△					∠
12		☍	△		☍	□		□	⚼
13			Q				Q		
14					⚹	△	⚹	△	☌
15	Q		□		Q	∠		∠	
16	△	Q			☍	△	⚼	□	⚼
17			⚹				⚼		⚼
18	□	△	∠			□	⚹	⚼	∠
19			⚼		☌	∠	⚼	☌	⚹
20		□		Q					
21	⚹			△	⚹	⚼	⚼	⚼	□
22	∠	⚹	☌		∠	∠		∠	
23	□	⚼	∠	⚼	⚹	☌	⚹	∠	△
24	⚼	⚼		∠	⚹	☌	□	⚼	Q
25	☌		∠	⚹	☌	□	⚼	□	
26		⚼	∠			∠		⚹	☍
27	⚼	☌		⚼	△	⚹		Q	
28				∠	Q		Q		
29	⚼	□		⚼				□	
30	⚹			☌					Q

Saturn, Uranus, Neptune, Pluto

D M	Saturn Lat.	Dec.	Uranus Lat.	Dec.	Neptune Lat.	Dec.	Pluto Lat.	Dec.
1	2S07	1S42	0S13	19N33	1S18	0S26	3S38	22S53
3	2 07	1 40	0 13	19 35	1 18	0 26	3 39	22 53
5	2 08	1 37	0 13	19 36	1 18	0 25	3 39	22 54
7	2 08	1 35	0 13	19 38	1 18	0 24	3 39	22 55
9	2 09	1 33	0 13	19 39	1 18	0 24	3 40	22 55
11	2 09	1 31	0 13	19 41	1 18	0 23	3 40	22 56
13	2 10	1 29	0 13	19 42	1 19	0 23	3 40	22 57
15	2 10	1 27	0 13	19 43	1 19	0 22	3 41	22 58
17	2 11	1 26	0 13	19 45	1 19	0 22	3 41	22 59
19	2 11	1 25	0 13	19 46	1 19	0 22	3 41	22 59
21	2 12	1 23	0 13	19 48	1 19	0 22	3 41	23 00
23	2 12	1 22	0 13	19 49	1 19	0 21	3 42	23 01
25	2 13	1 21	0 13	19 50	1 19	0 21	3 42	23 02
27	2 13	1 21	0 13	19 51	1 19	0 21	3 42	23 03
29	2 14	1 20	0 13	19 53	1 19	0 21	3 43	23 04
31	2S15	1S20	0S13	19N54	1S19	0S21	3S43	23S04

Mutual Aspects

1 ☿QΨ. ♃⚻♅. ☿∥♃.
2 ☉Qh.　　　　3 ☿Q℞.
4 ☉Q♀. ♀⚻♅.
5 ☿⚹♂. ♀⚹♃.
7 ☿±℞. ♀⚼h.
8 ♂☌♃. ☿⚹♅. ♀⚹Ψ. ♂±h. ☉⫶℞.
9 ☉Q℞. ☿Qh. ☿☐Ψ. ♀☐℞.
10 ☿⚻Ψ. ♂±Ψ.
11 ☿⚹♀. ☿∥♅.
13 ♀±h.
14 ♀⊥Ψ. ☉∥♃.
15 ♂☐♅. ♃☐h.
16 ☿∠♂. ☿∠♅.
17 ☉∠♀. ♀∥♂.
18 ☉±℞.　　　　19 ♃☐Ψ.
20 ☿⚹♅. ♂⚻h.
21 ☿∠♅. ☿∥♀. ☿∥♃.
22 ☉∥h. ♀±h. ♀⊥Ψ. ♂⚹♃. ☿⚻℞.
23 ☉☐Ψ. ♀∠℞. ☉⚻℞.
24 ♂☌♃. ☉⚹℞. ♃⚻♅.
25 ♀⊥♂.
26 ☉⚹♂. ☉±♅. ☿⚹♅.
28 ☿△h. ♀△Ψ. ☉∥♃.
29 ☿⚹℞.
30 ☿⚹♃. ☿∥♅.

LAST QUARTER – June 18, 19h.19m. (27°♓48')

NEW MOON–July24,19h.11m. (2°♋08′)

| 14 | | | | | JULY | 2025 | | | [RAPHAEL'S |

D	D	Sidereal	☉	☉	☽	☽	☽	☽		24h.	
M	W	Time	Long.	Dec.	Long.	Lat.	Dec.	Node		☽ Long.	☽ Dec.

		h m s	° ′ ″	° ′	° ′ ″	° ′	° ′	° ′		° ′ ″	° ′
1	T	6 39 11	9♋54 43	23 N04	25♍17 16	0 S 22	1 N32	21 ♓ 53	1 ♎ 22 46	1 S 23
2	W	6 43 07	10 51 55	23 00	7♎24 52	1 26	4 S 15	21 50	13 24 13	7 04
3	Th	6 47 04	11 49 08	22 55	19 21 30	2 24	9 48	21 47	25 17 23	12 26
4	F	6 51 00	12 46 20	22 49	1 ♏ 12 30	3 16	14 58	21 44	7 ♏ 07 29	17 20
5	S	6 54 57	13 43 32	22 44	13 02 54	4 00	19 34	21 40	18 59 19	21 36
6	Su	6 58 53	14 40 44	22 38	24 57 13	4 33	23 25	21 37	0 ♐ 57 03	25 00
7	M	7 02 50	15 37 56	22 31	6♐59 12	4 54	26 19	21 34	13 03 59	27 20
8	T	7 06 47	16 35 08	22 25	19 11 42	5 03	28 02	21 31	25 22 31	28 23
9	W	7 10 43	17 32 20	22 17	1♑36 35	4 57	28 23	21 28	7 ♑ 53 59	28 01
10	Th	7 14 40	18 29 31	22 10	14 14 44	4 37	27 16	21 25	20 38 49	26 10
11	F	7 18 36	19 26 43	22 02	27 06 10	4 03	24 42	21 21	3 ≈ 36 42	22 55
12	S	7 22 33	20 23 56	21 53	10≈10 19	3 15	20 49	21 18	16 46 54	18 27
13	Su	7 26 29	21 21 08	21 45	23 26 20	2 16	15 51	21 15	0 ♓ 08 32	13 02
14	M	7 30 26	22 18 21	21 36	6 ♓ 53 23	1 S 08	10 02	21 12	13 40 50	6 55
15	T	7 34 22	23 15 34	21 26	20 30 50	0 N04	3 S 42	21 09	27 23 21	0 S 25
16	W	7 38 19	24 12 48	21 16	4 ♈18 21	1 17	2 N54	21 06	11 ♈ 15 50	6 N11
17	Th	7 42 16	25 10 02	21 06	18 15 45	2 27	9 25	21 02	25 18 02	12 33
18	F	7 46 12	26 07 18	20 55	2 ♉ 22 34	3 28	15 33	20 59	9 ♉ 29 12	18 21
19	S	7 50 09	27 04 34	20 44	16 37 42	4 17	20 55	20 56	23 47 44	23 10
20	Su	7 54 05	28 01 50	20 33	0 ♊ 58 55	4 51	25 05	20 53	8 ♊ 10 46	26 37
21	M	7 58 02	28 59 08	20 22	15 22 44	5 06	27 42	20 50	22 34 09	28 20
22	T	8 01 58	29♋56 27	20 10	29 44 23	5 02	28 28	20 46	6 ♋ 52 43	28 08
23	W	8 05 55	0♌53 46	19 57	13♋58 28	4 39	27 20	20 43	21 00 59	26 06
24	Th	8 09 51	1 51 05	19 45	27 59 38	4 00	24 29	20 40	4 ♌ 53 54	22 31
25	F	8 13 48	2 48 26	19 32	11 ♌ 43 22	3 07	20 16	20 37	18 27 43	17 47
26	S	8 17 45	3 45 47	19 19	25 06 45	2 05	15 07	20 34	1 ♍ 40 24	12 19
27	Su	8 21 41	4 43 08	19 05	8♍08 42	0 N58	9 25	20 31	14 31 48	6 28
28	M	8 25 38	5 40 30	18 51	20 50 20	0 S 10	3 N29	20 27	27 03 32	0 N30
29	T	8 29 34	6 37 52	18 37	3♎12 55	1 16	2 S 27	20 24	9 ♎ 18 35	5 S 21
30	W	8 33 31	7 35 15	18 22	15 21 06	2 18	8 10	20 21	21 21 01	10 54
31	Th	8 37 27	8♌32 39	18 N08	27♎18 56	3 S 13	13 S 31	20 ♓ 18	3 ♏ 15 30	16 S 00

D	Mercury			Venus			Mars			Jupiter	
M	Lat.	Dec.		Lat.	Dec.		Lat.	Dec.		Lat.	Dec.

	° ′	° ′	° ′	° ′	° ′	° ′	° ′	° ′	° ′	° ′	° ′
1	0 N29	19 N20	18 N 53	2 S 37	16 N50	17 N06	1 N 00	9 N29	9 N 15	0 S 08	23 N13
3	0 N07	18 27	18 01	2 35	17 21	17 37	0 59	9 01	8 47	0 08	23 12
5	0 S 16	17 35	17 09	2 32	17 52	18 06	0 57	8 33	8 19	0 07	23 11
7	0 41	16 44	16 19	2 30	18 20	18 34	0 56	8 05	7 51	0 07	23 10
9	1 08	15 55	15 31	2 26	18 48	19 01	0 54	7 37	7 22	0 07	23 09
11	1 36	15 09	14 47	2 23	19 14	19 26	0 52	7 08	6 54	0 07	23 08
13	2 04	14 26	14 07	2 19	19 38	19 50	0 51	6 39	6 25	0 07	23 06
15	2 33	13 49	13 32	2 15	20 01	20 12	0 49	6 10	5 55	0 06	23 05
17	3 02	13 17	13 03	2 10	20 22	20 32	0 48	5 41	5 26	0 06	23 04
19	3 29	12 51	12 41	2 05	20 41	20 50	0 46	5 11	4 56	0 06	23 02
21	3 55	12 33	12 27	2 00	20 59	21 06	0 45	4 41	4 26	0 06	23 00
23	4 17	12 22	12 22	1 55	21 14	21 21	0 43	4 11	3 56	0 06	22 59
25	4 36	12 22	12 25	1 50	21 27	21 33	0 42	3 41	3 26	0 05	22 57
27	4 50	12 29	12 36	1 44	21 38	21 43	0 40	3 11	2 56	0 05	22 55
29	4 57	12 45	12 N 55	1 38	21 47	21 N51	0 39	2 40	2 N 25	0 05	22 53
31	4 S 57	13 N08		1 S 32	21 N54		0 N 37	2 N10		0 S 05	22 N51

FIRST QUARTER–July 2,19h.30m. (11°♎10′)

| EPHEMERIS] | | | | JULY | 2025 | | | | | | | | | | | | 15 |

Planetary Longitudes & Lunar Aspects

D M	☿ Long.	♀ Long.	♂ Long.	♃ Long.	♄ Long.	♅ Long.	♆ Long.	♇ Long.	☉	☿	♀	♂	♃	♄	♅	♆	♇
1	5♌39	26♉33	8♍03	4♋56	1♈49	29♉44	2♈10	3≈08		∠	△						△
2	6 43	27 38	8 38	5 09	1 50	29 47	2 10	3R 07	□	✶	⚼	⚹	□	☍		☍	△
3	7 44	28 44	9 13	5 23	1 51	29 50	2 10	3 05				∠			⚼		
4	8 42	29♉50	9 48	5 37	1 52	29 52	2 10	3 04					△				□
5	9 37	0♊56	10 23	5 50	1 53	29 55	2R 11	3 03	△	□		✶		⚼		⚼	
6	10 28	2 03	10 58	6 04	1 54	29♉58	2 10	3 01	⚼				⚼			☍	☍
7	11 16	3 09	11 34	6 18	1 54	0♊00	2 10	3 00		△	☍	□		△		△	✶
8	12 00	4 16	12 09	6 31	1 55	0 03	2 10	2 59						☍			∠
9	12 40	5 23	12 44	6 45	1 55	0 06	2 10	2 57		⚼			☍	□		⚼
10	13 17	6 30	13 20	6 58	1 56	0 08	2 10	2 56	☍				△			⚼
11	13 49	7 37	13 55	7 12	1 56	0 11	2 10	2 55			⚼	⚼			✶	△	✶	σ
12	14 18	8 44	14 31	7 25	1 56	0 13	2 10	2 53		☍	△				⚼	∠		∠
13	14 42	9 51	15 06	7 39	1R 56	0 16	2 09	2 52					⚼	∠		∠
14	15 02	10 59	15 42	7 52	1 56	0 18	2 09	2 51	□				□	⚼	△	⚼	⚼	∠
15	15 17	12 06	16 · 18	8 06	1 56	0 21	2 09	2 49	△				☍			∠
16	15 28	13 14	16 53	8 19	1 56	0 23	2 08	2 48			⚼				□	σ	✶	σ	✶
17	15 33	14 22	17 29	8 32	1 55	0 26	2 08	2 46	△	✶						∠
18	15R 34	15 30	18 05	8 46	1 55	0 28	2 08	2 45	□		∠	⚼	✶	⚼	⚼	⚼
19	15 30	16 38	18 41	8 59	1 54	0 30	2 07	2 44		⚼	△			∠	⚼	△
20	15 22	17 46	19 18	9 12	1 53	0 32	2 07	2 42	✶					∠	✶	σ	✶	△
21	15 08	18 54	19 54	9 26	1 53	0 35	2 06	2 41	∠	✶	σ		□	⚼			⚼
22	14 50	20 03	20 30	9 39	1 52	0 37	2 06	2 39	⚼	∠					□	⚼	□
23	14 27	21 11	21 06	9 52	1 51	0 39	2 05	2 38		⚼		σ				△	✶	△	☍
24	13 59	22 20	21 43	10 05	1 50	0 41	2 04	2 36	σ		⚼	✶	△	⚼		⚼
25	13 28	23 29	22 19	10 18	1 48	0 43	2 04	2 35		σ	∠	∠	⚼	□		⚼
26	12 53	24 37	22 56	10 31	1 47	0 45	2 03	2 34			✶	⚼	∠		□	
27	12 15	25 46	23 32	10 45	1 46	0 47	2 02	2 32	⚼	⚼		✶				
28	11 34	26 55	24 09	10 58	1 44	0 49	2 02	2 31	✶		□	σ			☍	△	☍	△
29	10 51	28 04	24 46	11 11	1 43	0 51	2 01	2 29	✶					□	⚼
30	10 07	29♊14	25 23	11 23	1 41	0 53	2 00	2 28	✶			□			⚼		□
31	9♌22	0♋23	26♍00	11♋36	1♈39	0♊54	1♈59	2≈27		△	⚼					

Saturn, Uranus, Neptune, Pluto

D M	Saturn Lat.	Saturn Dec.	Uranus Lat.	Uranus Dec.	Neptune Lat.	Neptune Dec.	Pluto Lat.	Pluto Dec.
1	2S15	1S20	0S13	19N54	1S19	0S21	3S43	23S04
3	2 15	1 19	0 13	19 55	1 20	0 21	3 43	23 05
5	2 16	1 19	0 13	19 56	1 20	0 21	3 43	23 06
7	2 16	1 19	0 13	19 57	1 20	0 21	3 44	23 07
9	2 17	1 19	0 13	19 58	1 20	0 22	3 44	23 08
11	2 17	1 20	0 13	20 00	1 20	0 22	3 44	23 09
13	2 18	1 20	0 13	20 01	1 20	0 22	3 44	23 10
15	2 18	1 21	0 13	20 02	1 20	0 23	3 44	23 10
17	2 19	1 22	0 13	20 03	1 20	0 23	3 45	23 11
19	2 19	1 23	0 13	20 04	1 20	0 23	3 45	23 12
21	2 20	1 24	0 13	20 04	1 21	0 24	3 45	23 13
23	2 21	1 25	0 13	20 05	1 21	0 24	3 45	23 14
25	2 21	1 27	0 13	20 06	1 21	0 25	3 45	23 15
27	2 22	1 28	0 13	20 07	1 21	0 26	3 46	23 15
29	2 22	1 30	0 13	20 08	1 21	0 26	3 46	23 16
31	2S23	1S32	0S13	20N08	1S21	0S27	3S46	23S17

Mutual Aspects

1 ☉⚹♅♇.
4 ♀⊥♃. ♀σ♅. ♆Stat.
5 ♃⊥♅. ☿∥♀.
6 ☉∠♇. ☿✶♄. ♀✶♆.
7 ♀△♇.
9 ☿⊥♃.
11 ☿⚹♃. ♃∥♇.
13 ♄Stat.
17 ♀♃h. ♀♃♆. ♂□♇.
18 ☿✶♀. ☿Stat.
19 ☉∥♀.
20 ☿⊥♃. ♀□♇.
22 ☿∠♂. ☉∥♅.
23 ☉✶♅. ♀□♂.
24 ☉△♄. ☉△♆.
25 ☉σ♇. ♂△♃.
26 ♀□♅.
28 ☿∠♀. ♀±♇.
29 ☿∠♃.
31 ☉σ♀. ♀⚹♅.

3 ♂±♇.
8 ☿□♅.
15 ♀∥♅.
30 ☿∠♂.

NEW MOON–Aug.23,06h.07m. (0°♍23′)

16					AUGUST		2025			[RAPHAEL'S

D M	D W	Sidereal Time	☉ Long.	☉ Dec.	☽ Long.	☽ Lat.	☽ Dec.	Node	24h. ☽ Long.	☽ Dec.
		h m s	° ′ ″	° ′	° ′ ″	° ′	° ′	° ′	° ′ ″	° ′
1	F	8 41 24	9♌30 03	17 N52	9♍11 19	3 S59	18 S20	20♓15	15♍07 00	20 S29
2	S	8 45 20	10 27 28	17 37	21 03 13	4 35	22 26	20 12	27 00 31	24 10
3	Su	8 49 17	11 24 53	17 21	2♐59 30	4 59	25 38	20 08	9♐00 42	26 50
4	M	8 53 14	12 22 19	17 05	15 04 37	5 10	27 44	20 05	21 11 42	28 19
5	T	8 57 10	13 19 46	16 49	27 22 19	5 07	28 32	20 02	3♑36 48	28 24
6	W	9 01 07	14 17 14	16 33	9♑55 25	4 50	27 53	19 59	16 18 19	27 00
7	Th	9 05 03	15 14 43	16 16	22 45 36	4 18	25 45	19 56	29 17 18	24 09
8	F	9 09 00	16 12 12	15 59	5♒53 21	3 32	22 13	19 52	12♒33 37	19 58
9	S	9 12 56	17 09 42	15 41	19 17 55	2 33	17 27	19 49	26 05 58	14 41
10	Su	9 16 53	18 07 14	15 24	2♓57 29	1 24	11 43	19 46	9♓52 07	8 36
11	M	9 20 49	19 04 46	15 06	16 49 31	0 S09	5 S21	19 43	23 49 18	2 S00
12	T	9 24 46	20 02 20	14 48	0♈51 06	1 N07	1 N22	19 40	7♈54 34	4 N44
13	W	9 28 43	20 59 55	14 30	14 59 20	2 20	8 04	19 37	22 05 04	11 17
14	Th	9 32 39	21 57 32	14 11	29 11 28	3 25	14 23	19 33	6♉18 13	17 17
15	F	9 36 36	22 55 10	13 53	13♉25 02	4 17	19 57	19 30	20 31 39	22 20
16	S	9 40 32	23 52 50	13 34	27 37 47	4 54	24 23	19 27	4♊43 11	26 05
17	Su	9 44 29	24 50 31	13 14	11♊47 33	5 12	27 21	19 24	18 50 36	28 11
18	M	9 48 25	25 48 14	12 55	25 52 03	5 12	28 34	19 21	2♋51 36	28 29
19	T	9 52 22	26 45 59	12 35	9♋48 55	4 53	27 56	19 17	16 43 43	26 58
20	W	9 56 18	27 43 45	12 16	23 35 41	4 17	25 36	19 14	0♌24 32	23 52
21	Th	10 00 15	28 41 33	11 56	7♌10 00	3 28	21 49	19 11	13 51 51	19 31
22	F	10 04 12	29♌39 22	11 36	20 29 53	2 27	16 59	19 08	27 03 58	14 17
23	S	10 08 08	0♍37 12	11 15	3♍33 59	1 20	11 27	19 05	9♍59 55	8 32
24	Su	10 12 05	1 35 04	10 55	16 21 48	0 N11	5 N33	19 02	22 39 42	2 N33
25	M	10 16 01	2 32 58	10 34	28 53 48	0 S58	0 S27	18 58	5♎04 18	3 S25
26	T	10 19 58	3 30 52	10 13	11♎11 28	2 03	6 19	18 55	17 15 39	9 08
27	W	10 23 54	4 28 48	9 52	23 17 13	3 02	11 51	18 52	29 16 37	14 27
28	Th	10 27 51	5 26 46	9 31	5♏14 17	3 51	16 54	18 49	11♏10 45	19 11
29	F	10 31 47	6 24 44	9 10	17 06 33	4 31	21 16	18 46	23 02 14	23 09
30	S	10 35 44	7 22 45	8 48	28 58 23	4 59	24 47	18 43	4♐55 34	26 10
31	Su	10 39 41	8♍20 46	8 N26	10♐54 23	5 S14	27 S18	18♓39	16♐55 25	28 S03

D M	Mercury Lat.	Mercury Dec.		Venus Lat.	Venus Dec.		Mars Lat.	Mars Dec.		Jupiter Lat.	Jupiter Dec.
	° ′	° ′	° ′	° ′	° ′	° ′	° ′	° ′	° ′	° ′	° ′
1	4 S55	13 N21	13 N37	1 S29	21 N56	21 N58	0 N37	1 N54	1 N39	0 S05	22 N50
3	4 44	13 53	14 10	1 23	22 00	22 00	0 35	1 24	1 08	0 05	22 48
5	4 27	14 27	14 45	1 17	22 01	22 00	0 34	0 53	0 37	0 04	22 46
7	4 04	15 03	15 21	1 11	21 59	21 58	0 32	0 N22	0 N06	0 04	22 43
9	3 37	15 39	15 56	1 04	21 55	21 53	0 31	0 S09	0 S25	0 04	22 41
11	3 05	16 12	16 26	0 58	21 49	21 45	0 29	0 41	0 56	0 04	22 39
13	2 32	16 40	16 52	0 51	21 41	21 36	0 28	1 12	1 27	0 04	22 36
15	1 58	17 03	17 11	0 45	21 30	21 23	0 26	1 43	1 59	0 04	22 34
17	1 24	17 18	17 22	0 38	21 17	21 09	0 25	2 14	2 30	0 03	22 32
19	0 51	17 24	17 23	0 32	21 01	20 52	0 24	2 46	3 02	0 03	22 29
21	0 S19	17 20	17 14	0 25	20 43	20 33	0 22	3 17	3 33	0 03	22 26
23	0 N09	17 05	16 54	0 19	20 22	20 11	0 21	3 49	4 04	0 03	22 24
25	0 34	16 39	16 21	0 13	19 59	19 47	0 19	4 20	4 36	0 03	22 21
27	0 56	16 01	15 37	0 S06	19 34	19 21	0 18	4 51	5 07	0 02	22 19
29	1 14	15 11	14 N42	0 00	19 07	18 N53	0 17	5 23	5 S38	0 02	22 16
31	1 N28	14 N11		0 N06	18 N38		0 N15	5 S54		0 S02	22 N13

FIRST QUARTER–Aug. 1,12h.41m. (9°♏32′) & Aug.31,06h.25m. (8°♐07′)

FULL MOON – Aug. 9,07h.55m. (17°≈≈00′)

D M	☿ Long.	♀ Long.	♂ Long.	♃ Long.	♄ Long.	♅ Long.	♆ Long.	♇ Long.	☉	☿	♀	♂	♃	♄	♅	♆	♇
1	8♌38	1♋33	26♍37	11♋49	1♈37	0♊56	1♈59	2≈≈25	□	□			∠	△			
2	7R 55	2 42	27 14	12 02	1R 35	0 58	1R 58	2R 24			⚹			♅		♅	
3	7 13	3 52	27 51	12 15	1 33	1 00	1 57	2 22	△			⚹	□	△	♂°	△	⚹
4	6 34	5 02	28 28	12 27	1 31	1 01	1 56	2 21	□	□			□		□		∠
5	5 59	6 11	29 05	12 40	1 29	1 03	1 55	2 20	□	□		□		□		⚻
6	5 28	7 21	29♍42	12 53	1 27	1 04	1 54	2 18			♂°		♂°		♅	
7	5 02	8 31	0♎20	13 05	1 24	1 06	1 53	2 17								
8	4 41	9 42	0 57	13 18	1 22	1 07	1 52	2 16	♂°			△		⚹	△	⚹	♂
9	4 26	10 52	1 35	13 30	1 19	1 09	1 51	2 14	♂°			□		□		
10	4 17	12 02	2 12	13 42	1 17	1 10	1 50	2 13			□		⚹	□	⚻	⚻
11	4D 15	13 12	2 50	13 55	1 14	1 11	1 49	2 11	□	△		△				∠
12	4 20	14 23	3 27	14 07	1 11	1 12	1 48	2 10	□	△		♂°		♂	⚹	♂	⚹
13	4 32	15 33	4 05	14 19	1 08	1 14	1 47	2 09	△		□		□		∠	
14	4 51	16 44	4 43	14 31	1 05	1 15	1 45	2 08	□					⚻	∠	⚻	□
15	5 17	17 55	5 21	14 43	1 02	1 16	1 44	2 06		⚹			⚹	∠		∠
16	5 50	19 06	5 59	14 55	0 59	1 17	1 43	2 05	□		∠	□	∠	⚹	♂	⚹	△
17	6 30	20 17	6 37	15 07	0 56	1 18	1 42	2 04	⚹		△	⚻				□
18	7 18	21 28	7 15	15 19	0 52	1 19	1 40	2 02	⚹	∠	⚻		□	⚻	□	
19	8 12	22 39	7 53	15 30	0 49	1 20	1 39	2 01	∠			□	♂		∠	
20	9 13	23 50	8 31	15 43	0 46	1 21	1 38	2 00	⚻		♂					
21	10 20	25 01	9 09	15 55	0 42	1 22	1 37	1 59		♂		⚹		△	⚹	△	♂°
22	11 34	26 12	9 48	16 06	0 38	1 22	1 35	1 57			⚻	∠	⚻	□		♅
23	12 53	27 24	10 26	16 18	0 35	1 23	1 34	1 56	♂			⚻	∠		∠	
24	14 18	28 35	11 04	16 29	0 31	1 24	1 33	1 55	⚻		⚻	∠	⚹			♅
25	15 47	29♋47	11 43	16 40	0 27	1 24	1 31	1 54	⚻	∠	⚹			♂°	△	♂°	△
26	17 22	0♌58	12 21	16 52	0 24	1 25	1 30	1 53				♂	□		♅	
27	19 00	2 10	13 00	17 03	0 20	1 25	1 28	1 52	∠	⚹						
28	20 43	3 22	13 39	17 14	0 16	1 26	1 27	1 50	⚹		□			⚻	△	♅	
29	22 28	4 34	14 18	17 25	0 12	1 26	1 25	1 49				∠	△	♅	♂°	△	⚹
30	24 16	5 46	14 56	17 36	0 08	1 27	1 24	1 48	□		△	∠	♅	△	♂°	△	⚹
31	26♌07	6♌58	15♎35	17♋47	0♈08	1♊27	1♈22	1≈≈47	□		△	⚹		△	⚹		∠

D M	Saturn Lat.	Dec.	Uranus Lat.	Dec.	Neptune Lat.	Dec.	Pluto Lat.	Dec.	Mutual Aspects
1	2S23	1S33	0S13	20N09	1S21	0S28	3S46	23S17	1 ♀□♄. ♀□Ψ.
3	2 23	1 35	0 13	20 09	1 21	0 28	3 46	23 18	2 ☿⊥♀. ♀▽ℙ. ♂⚻♄.
5	2 24	1 37	0 13	20 10	1 21	0 29	3 46	23 19	4 ☉⚻♃.
7	2 24	1 40	0 13	20 11	1 21	0 30	3 46	23 20	5 ☉Q♅. ☿⚻♀.
9	2 25	1 42	0 13	20 11	1 21	0 31	3 46	23 20	6 ♀⊥♅.
									7 ☉∠♂. ♂⚻Ψ.
11	2 25	1 45	0 13	20 12	1 21	0 32	3 47	23 21	8 ☉Q♄. ♂△♅.
13	2 26	1 48	0 13	20 12	1 22	0 33	3 47	23 22	9 ☉Q Ψ. ♂♂Ψ. ♂♂Ψ. ☉‖☿.
15	2 26	1 51	0 13	20 13	1 22	0 34	3 47	23 22	10 ☉⊥♀. ♂△ℙ. ♂‖Ψ.
17	2 26	1 53	0 13	20 13	1 22	0 35	3 47	23 23	11 ☿Stat.
19	2 27	1 57	0 13	20 13	1 22	0 36	3 47	23 24	12 ☉⊥♃. ♀⚹♃. ♄⚻♅.
									14 ♀∠♅.
21	2 27	2 00	0 13	20 14	1 22	0 37	3 47	23 24	15 ☿⚻♂. ♂‖♄.
23	2 27	2 03	0 13	20 14	1 22	0 38	3 47	23 25	17 ☉±♄.
25	2 28	2 06	0 13	20 14	1 22	0 39	3 47	23 26	18 ☉±Ψ. ☿⚻♂.
27	2 28	2 10	0 13	20 14	1 22	0 41	3 47	23 26	23 ☉▽♄. ☿Q♅.
29	2 29	2 13	0 13	20 15	1 22	0 42	3 47	23 27	24 ☉∠♃. ☉□♅. ☉▽Ψ. ☉▽ℙ. ♃∠♅.
31	2S29	2S17	0S13	20N15	1S22	0S43	3S47	23S27	9 ‖♅.
									25 ☿Q♄. ☿Qℙ. ♀Q♂.
									26 ☉⚻♅. ☉▽Ψ. ☉▽ℙ. ♃∠♅.
									27 ♀♂ℙ.　　　29 ♅⚹Ψ.
									30 ☉±♄. ☿⊥♃. ☿±♄.
									31 ☿±Ψ.

LAST QUARTER – Aug.16,05h.12m. (23°♉36′)

NEW MOON–Sep.21,19h.54m. (29°♏05′)

D M	D W	Sidereal Time	⊙ Long.	⊙ Dec.	☽ Long.	☽ Lat.	☽ Dec.	Node	24h. ☽ Long.	☽ Dec.
		h m s	° ′ ″	° ′	° ′ ″	° ′	° ′	° ′	° ′ ″	° ′
1	M	10 43 37	9♏18 49	8 N05	22 ✓ 59 14	5 S 16	28 S 30	18 ♓ 36	29 ✓ 06 23	28 S 37
2	T	10 47 34	10 16 53	7 43	5♍17 21	5 03	28 23	18 33	11 ♍ 32 38	27 46
3	W	10 51 30	11 14 59	7 21	17 52 38	4 36	26 48	18 30	24 17 41	25 28
4	Th	10 55 27	12 13 06	6 59	0 ≈ 48 03	3 54	23 47	18 27	7 ≈ 23 56	21 46
5	F	10 59 23	13 11 15	6 36	14 05 22	2 59	19 27	18 23	20 52 21	16 51
6	S	11 03 20	14 09 25	6 14	27 44 43	1 52	14 00	18 20	4 ♓ 42 14	10 57
7	Su	11 07 16	15 07 36	5 52	11 ♓ 44 30	0 S 36	7 43	18 17	18 51 03	4 S 22
8	M	11 11 13	16 05 50	5 29	26 01 19	0 N43	0 S 56	18 14	3 ♈ 14 39	2 N32
9	T	11 15 10	17 04 05	5 06	10 ♈ 30 20	2 00	6 N00	18 11	17 47 37	9 23
10	W	11 19 06	18 02 22	4 44	25 05 47	3 01	12 40	18 08	2 ♉ 24 03	15 46
11	Th	11 23 03	19 00 41	4 21	9 ♉ 41 43	4 08	18 38	18 04	16 58 07	21 14
12	F	11 26 59	19 59 02	3 58	24 12 40	4 49	23 30	18 01	1 ♊ 24 51	25 23
13	S	11 30 56	20 57 26	3 35	8 ♊ 34 14	5 12	26 52	17 58	15 40 28	27 55
14	Su	11 34 52	21 55 51	3 12	22 42 59	5 16	28 30	17 55	29 42 29	28 37
15	M	11 38 49	22 54 19	2 49	6 ♋ 37 59	5 01	28 17	17 52	13 ♋ 29 40	27 31
16	T	11 42 45	23 52 49	2 26	20 17 34	4 29	26 20	17 49	27 01 40	24 48
17	W	11 46 42	24 51 21	2 03	3 ♌ 42 02	3 43	22 56	17 45	10 ♌ 18 44	20 48
18	Th	11 50 39	25 49 55	1 39	16 51 50	2 46	18 25	17 42	23 21 27	15 51
19	F	11 54 35	26 48 32	1 16	29 47 40	1 41	13 07	17 39	6 ♍ 10 35	10 17
20	S	11 58 32	27 47 10	0 53	12♍30 19	0 N32	7 22	17 36	18 46 57	4 N24
21	Su	12 02 28	28 45 50	0 29	25 00 39	0 S 37	1 N25	17 33	1 ♎ 11 31	1 S 33
22	M	12 06 25	29♍44 32	0 N06	7 ♎ 19 43	1 43	4 S 29	17 29	13 25 25	7 21
23	T	12 10 21	0 ♎ 43 16	0 S 17	19 28 48	2 44	10 09	17 26	25 30 06	12 49
24	W	12 14 18	1 42 02	0 41	1 ♏ 29 34	3 36	15 22	17 23	7 ♏ 27 29	17 46
25	Th	12 18 14	2 40 50	1 04	13 24 10	4 19	19 58	17 20	19 19 58	21 59
26	F	12 22 11	3 39 40	1 27	25 15 18	4 50	23 46	17 17	1 ✓ 10 34	25 19
27	S	12 26 08	4 38 31	1 51	7 ✓ 06 14	5 09	26 35	17 14	13 02 48	27 33
28	Su	12 30 04	5 37 24	2 14	19 00 47	5 15	28 13	17 10	25 00 43	28 34
29	M	12 34 01	6 36 19	2 37	1♍03 10	5 07	28 33	17 07	7 ♍ 08 43	28 13
30	T	12 37 57	7 ♎ 35 16	3 S 01	13♍17 54	4 S 46	27 S 31	17 ♓ 04	19 ♍ 31 19	26 S 28

D M	Mercury Lat.		Dec.		Venus Lat.		Dec.		Mars Lat.		Dec.		Jupiter Lat.		Dec.	
	° ′	° ′	° ′		° ′	° ′	° ′		° ′	° ′	° ′		° ′		° ′	
1	1 N33	13 N38	13 N 02		0 N 09	18 N22	18 N06		0 N 15	6 S 10	6 S 25		0 S 02		22 N12	
3	1 41	12 24	11 45		0 15	17 50	17 33		0 13	6 31	6 56		0 02		22 09	
5	1 46	11 04	10 22		0 21	17 15	16 57		0 12	7 12	7 27		0 01		22 07	
7	1 47	9 39	8 54		0 26	16 38	16 19		0 11	7 43	7 58		0 01		22 04	
9	1 46	8 09	7 23		0 32	16 00	15 40		0 09	8 14	8 29		0 01		22 02	
11	1 42	6 37	5 50		0 37	15 20	14 59		0 08	8 44	9 00		0 01		21 59	
13	1 36	5 03	4 15		0 42	14 38	14 16		0 07	9 15	9 30		0 S 01		21 56	
15	1 29	3 28	2 40		0 47	13 54	13 31		0 05	9 45	10 00		0 00		21 54	
17	1 19	1 52	1 N05		0 52	13 08	12 45		0 04	10 15	10 30		0 00		21 51	
19	1 09	0 N17	0 S 30		0 56	12 22	11 58		0 03	10 45	11 00		0 00		21 49	
21	0 57	1 S 17	2 03		1 00	11 33	11 09		0 N 01	11 15	11 30		0 S 00		21 46	
23	0 45	2 49	3 35		1 04	10 44	10 18		0 00	11 45	11 59		0 00		21 44	
25	0 32	4 21	5 06		1 08	9 53	9 27		0 S 01	12 14	12 29		0 N 01		21 41	
27	0 18	5 50	6 34		1 12	9 01	8 34		0 02	12 43	12 57		0 01		21 39	
29	0 N04	7 18	8 S 00		1 15	8 08	7 N41		0 04	13 12	13 S 26		0 01		21 37	
31	0 S 10	8 S 43			1 N 18	7 N14			0 S 05	13 S 40			0 N 01		21 N35	

FIRST QUARTER–Sep.29,23h.54m. (7°♑06′)

FULL MOON–Sep. 7,18h.09m. (15°✕23′)

D/M	☿ Long.	♀ Long.	♂ Long.	♃ Long.	♄ Long.	♅ Long.	♆ Long.	♇ Long.	☉	☿	♀	♂	♃	♄	♅	♆	♇
1	27♋59	8♌10	16♎14	17♋58	29✕59	1♊27	1♈21	1≈46	△	⚼							
2	29 53	9 22	16 53	18 08	29R 55	1 27	1R 19	1R 45	△				□			□	⚺
3	1♍48	10 34	17 32	18 19	29 51	1 28	1 18	1 44	⚼			□	∂°		□	⚺	
4	3 44	11 46	18 12	18 29	29 47	1 28	1 16	1 43	□			∂°		✳	△	✳	σ
5	5 40	12 58	18 51	18 40	29 42	1 28	1 15	1 42		∂°	△		∠			∠	
6	7 37	14 11	19 30	18 50	29 38	1R 28	1 13	1 41	∂°	∂°		□	⚺	□		⚺	
7	9 33	15 23	20 09	19 00	29 33	1 28	1 12	1 40			□		∠	σ	✳	σ	✳
8	11 29	16 36	20 49	19 11	29 29	1 28	1 10	1 39				△	σ	✳	σ	✳	∠
9	13 25	17 48	21 28	19 21	29 25	1 28	1 08	1 38			△	∂°	□	⚺	⚺	□	
10	15 20	19 01	22 08	19 30	29 20	1 27	1 07	1 37									
11	17 14	20 14	22 47	19 40	29 16	1 27	1 05	1 36	□	△	△	□	✳	✳		✳	∠
12	19 07	21 27	23 27	19 50	29 11	1 27	1 04	1 36	△	□	□	⚺	σ		△		
13	21 00	22 39	24 07	19 59	29 06	1 26	1 02	1 35	□	✳	△	⚺	□		⚺	⚺	□
14	22 52	23 52	24 46	20 09	29 02	1 26	1 00	1 34	∠	△	⚺	□			⚺		
15	24 42	25 05	25 26	20 18	28 57	0 59		1 33	✳	⚺	□	σ			△	✳	△	∂°
16	26 32	26 18	26 06	20 28	28 53	1 25	0 57	1 33	✳	⚺	□	σ			△	✳	△	∂°
17	28♍21	27 32	26 46	20 37	28 48	1 25	0 55	1 32	✳	⚺	□		△	✳	△	∂°	
18	0♎09	28 45	27 26	20 46	28 43	1 24	0 54	1 31	∠	∠		⚺	□		⚺	⚺	□
19	1 55	29♌59	28 06	20 55	28 39	1 23	0 52	1 30	⚺	⚺	σ	✳	∠		∠		□
20	3 41	1♍11	28 46	21 03	28 34	1 23	0 51	1 30					∠				⚺
21	5 25	2 25	29♎27	21 12	28 29	1 22	0 49	1 29	σ			⚺	✳	∂°		∂°	
22	7 09	3 38	0♏07	21 21	28 25	1 21	0 47	1 29		σ	⚺	∠			△		
23	8 52	4 52	0 47	21 29	28 20	1 20	0 46	1 28			∠	□					□
24	10 33	6 05	1 28	21 37	28 15	1 19	0 44	1 27	⚺		✳	σ					
25	12 14	7 19	2 08	21 45	28 11	1 19	0 42	1 27	∠	⚺			□		□		
26	13 54	8 32	2 49	21 53	28 06	1 18	0 41	1 26		∠		△	△			△	
27	15 32	9 46	3 29	22 01	28 01	1 17	0 39	1 26	✳		□	⚺	□		∂°		✳
28	17 10	11 00	4 10	22 09	27 57	1 15	0 37	1 25		✳		∠					∠
29	18 47	12 13	4 51	22 17	27 52	1 14	0 36	1 25	□			✳		□		□	⚺
30	20♎23	13♍27	5♏31	22♋24	27✕48	1♊13	0♈34	1≈25			△				⚼		

D/M	Saturn Lat.	Saturn Dec.	Uranus Lat.	Uranus Dec.	Neptune Lat.	Neptune Dec.	Pluto Lat.	Pluto Dec.
1	2S29	2S19	0S13	20N15	1S22	0S44	3S47	23S28
3	2 29	2 22	0 13	20 15	1 22	0 45	3 47	23 28
5	2 29	2 26	0 13	20 15	1 22	0 46	3 47	23 28
7	2 30	2 30	0 13	20 15	1 22	0 48	3 47	23 29
9	2 30	2 33	0 13	20 15	1 22	0 49	3 47	23 29
11	2 30	2 37	0 13	20 15	1 22	0 50	3 47	23 30
13	2 30	2 41	0 13	20 14	1 22	0 52	3 47	23 30
15	2 30	2 45	0 13	20 14	1 22	0 53	3 47	23 30
17	2 30	2 49	0 13	20 14	1 22	0 54	3 47	23 31
19	2 31	2 52	0 13	20 14	1 22	0 56	3 47	23 31
21	2 31	2 56	0 13	20 13	1 22	0 57	3 47	23 31
23	2 31	3 00	0 13	20 13	1 22	0 58	3 47	23 32
25	2 31	3 04	0 13	20 13	1 22	1 00	3 47	23 32
27	2 31	3 07	0 13	20 12	1 22	1 01	3 47	23 32
29	2 31	3 11	0 13	20 12	1 22	1 02	3 47	23 32
31	2S31	3S14	0S13	20N11	1S22	1S03	3S47	23S32

Mutual Aspects

1 ♂□♅.   2 ☿▽♄.
3 ☿□♅. ☿▽♆. ☿▽♇.
4 ☉⊥♂. ☿∠♂. ☿∠♃. ♅#♂.
5 ♀□♅. ♂□♃.
6 ☉⚹♀. ☿±♇. ♀□h. ♅Stat.
8 ♀□♃.
9 ☉□♇. ☿#♂.
10 ♀⚹♃.
11 ♀⊥♂. ☿□♇.
12 ☉✳♃. ☿#♃.
13 ☉∂♀. ☿±h.
15 ♀±♅. ♂∂♅. ☉#h.
17 ☿∂h. ☉‖☿.
18 ☿∂♅. ♀▽♆. ♀#♆.
19 ☿△♅. ☿±♇.
20 ♀□♃. ☿□♅. ♀▽♆. ♀▽♇. ♂▽h.
   ☉#♀. ☉#♆.
21 ☉∂h. ☉‖♆. ♀#♂.
23 ☉✳♂. ☉∂♆. ♂▽♆. ☿‖h.
24 ☉△♅. ♀△♇. ♀∠♃. ♂▽♇. ♂□♇.
25 ♀±♇. ☉‖♆.
26 ☉□♃.   27 ☿□♅.
28 ☿⊥♀. ♂±h.
30 ☉‖h. ☿#♀.

LAST QUARTER–Sep.14,10h.33m. (21°♊52′)

20					OCTOBER		2025			[RAPHAEL'S	

D	D	Sidereal	⊙	⊙	☽	☽	☽	☽		24h.	
M	W	Time	Long.	Dec.	Long.	Lat.	Dec.	Node	☽ Long.	☽ Dec.

		h m s	° ′ ″	° ′	° ′ ″	° ′	° ′	° ′	° ′	° ′
1	W	12 41 54	8♎34 15	3 S 24	25♑49 30	4 S 10	25 S 04	17 ♓ 01	2 ≈ 12 57	23 S 21
2	Th	12 45 50	9 33 15	3 47	8≈42 06	3 21	21 19	16 58	15 17 22	18 59
3	F	12 49 47	10 32 17	4 10	21 59 02	2 20	16 23	16 55	28 47 17	13 32
4	S	12 53 43	11 31 21	4 33	5 ♓ 42 11	1 S 09	10 29	16 51	12 ♓ 43 39	7 15
5	Su	12 57 40	12 30 26	4 56	19 51 25	0 N09	3 S 53	16 48	27 05 04	0 S 25
6	M	13 01 37	13 29 34	5 20	4 ♈24 01	1 28	3 N05	16 45	11 ♈ 47 31	6 N35
7	T	13 05 33	14 28 43	5 42	19 14 38	2 42	10 02	16 42	26 44 20	13 21
8	W	13 09 30	15 27 55	6 05	4 ♉ 15 32	3 46	16 29	16 39	11 ♉ 47 02	19 22
9	Th	13 13 26	16 27 08	6 28	19 17 43	4 34	21 57	16 35	26 46 27	24 09
10	F	13 17 23	17 26 24	6 51	4 ♊ 12 14	5 04	25 57	16 32	11 ♊ 34 12	27 18
11	S	13 21 19	18 25 43	7 13	18 51 37	5 13	28 10	16 29	26 03 56	28 32
12	Su	13 25 16	19 25 03	7 36	3♋10 45	5 02	28 26	16 26	10 ♋ 11 50	27 51
13	M	13 29 12	20 24 26	7 58	17 07 08	4 33	26 51	16 23	23 56 41	25 28
14	T	13 33 09	21 23 52	8 21	0 ♌42 49	3 50	23 45	16 20	7 ♌ 19 16	21 43
15	W	13 37 06	22 23 19	8 43	13 52 51	2 55	19 27	16 16	20 21 43	16 59
16	Th	13 41 02	23 22 49	9 05	26 46 17	1 53	14 22	16 13	3 ♍ 06 53	11 37
17	F	13 44 59	24 22 21	9 27	9♍23 55	0 N47	8 46	16 10	15 37 43	5 N52
18	S	13 48 55	25 21 55	9 49	21 48 38	0 S 21	2 N56	16 07	27 56 59	0 S 01
19	Su	13 52 52	26 21 32	10 10	4♎03 03	1 26	2 S 56	16 04	10 ♎ 07 06	5 48
20	M	13 56 48	27 21 10	10 32	16 09 22	2 27	8 37	16 01	22 10 03	11 20
21	T	14 00 45	28 20 51	10 53	28 09 22	3 20	13 56	15 57	4 ♏ 07 31	16 24
22	W	14 04 41	29♎20 33	11 14	10 ♏04 41	4 05	18 42	15 54	16 01 03	20 49
23	Th	14 08 38	0 ♏20 18	11 35	21 56 51	4 38	22 43	15 51	27 52 16	24 23
24	F	14 12 35	1 20 04	11 56	3 ♐47 36	4 59	25 48	15 48	9 ♐ 43 04	26 56
25	S	14 16 31	2 19 53	12 17	15 39 02	5 07	27 46	15 45	21 35 49	28 16
26	Su	14 20 28	3 19 43	12 37	27 33 47	5 03	28 28	15 41	3 ♑ 33 24	28 18
27	M	14 24 24	4 19 35	12 58	9♑35 06	4 44	27 49	15 38	15 39 23	27 00
28	T	14 28 21	5 19 28	13 18	21 46 48	4 13	25 50	15 35	27 57 52	24 22
29	W	14 32 17	6 19 23	13 38	4 ≈11 33	3 30	22 36	15 32	10 ≈ 30 30	20 31
30	Th	14 36 14	7 19 20	13 57	16 58 44	2 34	18 12	15 29	23 30 05	15 37
31	F	14 40 10	8 ♏19 19	14 S 17	0 ♓07 49	1 S 30	12 S 49	15 ♓ 26	6 ♓ 52 18	9 S 50

D	Mercury			Venus			Mars			Jupiter	
M	Lat.	Dec.		Lat.	Dec.		Lat.	Dec.		Lat.	Dec.

	° ′	° ′	° ′	° ′	° ′	° ′	° ′	° ′	° ′	° ′	° ′
1	0 S 10	8 S 43		1 N 18	7 N14		0 S 05	13 S 40		0 N 01	21 N35
3	0 24	10 06	9 S 24	1 21	6 19	6 N46	0 06	14 08	13 S 54	0 02	21 33
5	0 38	11 26	10 46	1 23	5 23	5 51	0 08	14 36	14 22	0 02	21 31
7	0 53	12 43	12 05	1 25	4 27	4 55	0 09	15 03	14 49	0 02	21 29
9	1 07	13 58	13 21	1 27	3 30	3 58	0 10	15 30	15 17	0 02	21 27
			14 34			3 01			15 43		
11	1 21	15 09	15 44	1 29	2 32	2 03	0 11	15 56	16 10	0 02	21 25
13	1 34	16 17	16 50	1 30	1 34	1 05	0 13	16 22	16 35	0 03	21 23
15	1 47	17 22	17 53	1 31	0 N36	0 N06	0 14	16 48	17 01	0 03	21 22
17	1 59	18 23	18 52	1 32	0 S 23	0 S 52	0 15	17 13	17 26	0 03	21 20
19	2 11	19 20	19 47	1 32	1 22	1 51	0 16	17 38	17 50	0 03	21 19
21	2 21	20 13	20 38	1 32	2 20	2 50	0 17	18 02	18 14	0 04	21 18
23	2 31	21 01	21 24	1 32	3 19	3 48	0 19	18 25	18 37	0 04	21 17
25	2 39	21 45	22 05	1 32	4 17	4 46	0 20	18 48	19 00	0 04	21 16
27	2 46	22 24	22 41	1 31	5 15	5 44	0 21	19 11	19 22	0 05	21 15
29	2 51	22 56	23 S 11	1 30	6 13	6 S 42	0 22	19 32	19 S 43	0 05	21 14
31	2 S 54	23 S 23		1 N 29	7 S 10		0 S 23	19 S 53		0 N 05	21 N13

FULL MOON – Oct. 7,03h.48m. (14°♈08′)

D M	☿ Long.	♀ Long.	♂ Long.	♃ Long.	♄ Long.	♅ Long.	♆ Long.	♇ Long.	Lunar Aspects ⊙ ☿ ♀ ♂ ♃ ♄ ♅ ♆ ♇
1	21♎59	14♍41	6♏12	22♋31	27♓43	1♊12	0♈32	1≈24	□ ⃒ · °° ⚹ △ ⚹ · σ
2	23 33	15 55	6 53	22 39	27R 39	1R 11	0R 31	1R 24	△ · · □ · ∠ · · ∠
3	25 07	17 09	7 34	22 46	27 34	1 09	0 29	1 24	⃒ △ · · · ⊼ · · ∠
4	26 39	18 23	8 15	22 53	27 30	1 08	0 27	1 23	⃒ · · △ ⃒ △ · □ ⊼
5	28 11	19 37	8 56	22 59	27 25	1 07	0 26	1 23	· °° ⃒ ⃒ △ · · · ∠
6	29♎42	20 51	9 37	23 06	27 21	1 05	0 24	1 23	°° · · · · σ ⚹ σ ⚹
7	1♏13	22 05	10 19	23 12	27 17	1 04	0 23	1 23	°° · · □ · ∠ · · ·
8	2 42	23 20	11 00	23 19	27 12	1 02	0 21	1 22	· °° ⃒ °° · ⊼ ⊼ ⊼ □
9	4 11	24 34	11 41	23 25	27 08	1 01	0 19	1 22	· · △ · ⚹ ∠ · σ ·
10	5 39	25 48	12 23	23 31	27 04	0 59	0 18	1 22	⃒ · · · ∠ ⚹ σ ⚹ △
11	7 06	27 02	13 04	23 37	27 00	0 58	0 16	1 22	△ ⃒ · · ⊼ · · · ⃒
12	8 32	28 17	13 46	23 42	26 56	0 56	0 15	1 22	· △ □ ⃒ · □ ⊼ □ ·
13	9 57	29♍31	14 27	23 48	26 51	0 54	0 13	1 22	□ · ∠ · △ σ · ∠ ·
14	11 22	0♎46	15 09	23 53	26 47	0 52	0 12	1D 22	· · · ⚹ · · △ ⚹ °°
15	12 45	2 00	15 51	23 58	26 43	0 51	0 10	1 22	· □ ∠ □ · ⃒ △ ⃒ °°
16	14 08	3 15	16 32	24 03	26 40	0 49	0 09	1 22	⚹ · · · ⊼ · · □ ·
17	15 29	4 29	17 14	24 08	26 36	0 47	0 07	1 22	∠ · · ⊼ ∠ · · · ·
18	16 50	5 44	17 56	24 13	26 32	0 45	0 06	1 22	⊼ ⚹ · ⊼ ⚹ ⚹ °° · ⃒
19	18 10	6 58	18 38	24 17	26 28	0 43	0 04	1 22	· σ · ∠ · · · △ °° △
20	19 28	8 13	19 20	24 21	26 25	0 41	0 03	1 23	⊼ · ⊼ · · · · ⃒ ·
21	20 45	9 28	20 02	24 26	26 21	0 39	0 01	1 23	σ · · · □ · · · □
22	22 01	10 43	20 45	24 30	26 17	0 37	0♈00	1 23	· · ⊼ · ⃒ · ⃒ · ·
23	23 15	11 57	21 27	24 33	26 14	0 35	29♓58	1 23	· ∠ σ · △ · △ · △
24	24 28	13 12	22 09	24 37	26 11	0 33	29 57	1 24	⊼ · · · ⃒ · °° · ⊼
25	25 39	14 27	22 51	24 40	26 07	0 31	29 56	1 24	∠ · ⚹ · · · · · ∠
26	26 48	15 42	23 34	24 44	26 04	0 29	29 54	1 24	⊼ · ⊼ · □ · · □ ⊼
27	27 55	16 57	24 16	24 47	26 01	0 27	29 53	1 25	⚹ ∠ · ∠ · ⃒ · · ·
28	29♏00	18 12	24 59	24 49	25 58	0 25	29 52	1 25	· · · □ ⚹ °° ⚹ · ·
29	0♐02	19 26	25 41	24 52	25 55	0 22	29 51	1 25	□ ⚹ · · ∠ · · △ ⚹ σ
30	1 02	20 41	26 24	24 55	25 52	0 20	29 49	1 26	· △ · · ∠ · · · ·
31	1♐58	21♎56	27♏07	24♋57	25♓49	0♊18	29♓48	1≈26	□ · · □ · ⊼ ⃒ ⊼ ⊼

D M	Saturn Lat.	Saturn Dec.	Uranus Lat.	Uranus Dec.	Neptune Lat.	Neptune Dec.	Pluto Lat.	Pluto Dec.	Mutual Aspects
1	2S31	3S14	0S13	20N11	1S22	1S03	3S47	23S32	1 ☿□♃. σ±♆.
3	2 31	3 18	0 13	20 11	1 22	1 05	3 47	23 32	2 ♀□♇. 3 ☿±♅.
5	2 31	3 21	0 13	20 10	1 22	1 06	3 47	23 32	5 ☿▽h.
7	2 30	3 25	0 13	20 10	1 22	1 07	3 47	23 32	6 ☿▽♆. ⊙⚹♀.
9	2 30	3 28	0 13	20 09	1 22	1 09	3 47	23 32	7 ☿±♅. ☿□♇.
11	2 30	3 31	0 13	20 08	1 22	1 10	3 47	23 32	8 ☿±h. ♀⚹♃.
13	2 30	3 34	0 13	20 08	1 22	1 11	3 47	23 32	9 ⊙□♃ ☿±h.
15	2 30	3 37	0 13	20 07	1 22	1 12	3 47	23 32	10 ☿±♆. σ□h.
17	2 30	3 40	0 13	20 06	1 22	1 13	3 47	23 32	13 ♀σ♂. ☿ ∥σ.
19	2 29	3 43	0 13	20 05	1 22	1 14	3 47	23 32	14 ☿□h. ♀±♅. ♀°°♆. ♀△♃. σ□♃.
21	2 29	3 45	0 13	20 04	1 22	1 16	3 47	23 32	♀+♆. ♇Stat.
23	2 29	3 48	0 13	20 04	1 22	1 17	3 46	23 32	17 ⊙□♃. ⊙±♅. ♀□♆.
25	2 29	3 50	0 13	20 03	1 22	1 18	3 46	23 32	18 ♀□♃.
27	2 28	3 52	0 13	20 02	1 22	1 19	3 46	23 31	19 ⊙▽h. ♀∥♆.
29	2 28	3 54	0 13	20 01	1 22	1 20	3 46	23 31	20 ☿σσ. ☿♀♇. σ♀♇.
31	2S28	3S56	0S13	20N00	1S22	1S21	3S46	23S31	21 ☿+♅.

23 ⊙▽♅. ⊙▽♆.
24 ⊙□♇. ☿△♃. ♀+♃. ♀∥h.
25 ⊙±h. ☿△h.
26 ♀□♅.   28 σ△♃.
29 ⊙±♆. ☿°°♅. ☿△♆. ♀⊥σ. σ△h.
30 ☿⚹♇.

LAST QUARTER – Oct.13,18h.13m. (20°♋40′)

NEW MOON – Nov.20,06h.47m. (28°♏12′)

22				NOVEMBER		2025				[RAPHAEL'S	

D M	D W	Sidereal Time	☉ Long.	☉ Dec.	☽ Long.	☽ Lat.	☽ Dec.	Node	24h. ☽ Long.	☽ Dec.
1	S	14 44 07	9♏19 19	14 S 36	13♓43 52	0 S 18	6 S 40	15♓22	20♓42 41	3 S 23
2	Su	14 48 04	10 19 20	14 55	27 48 45	0 N57	0 N01	15 19	5♈01 53	3 N27
3	M	14 52 00	11 19 23	15 14	12♈21 43	2 11	6 54	15 16	19 47 37	10 18
4	T	14 55 57	12 19 28	15 32	27 18 45	3 18	13 36	15 13	4♉54 03	16 43
5	W	14 59 53	13 19 35	15 50	12♉32 19	4 12	19 36	15 10	20 12 10	22 10
6	Th	15 03 50	14 19 43	16 08	27 52 08	4 48	24 22	15 06	5♊30 47	26 07
7	F	15 07 46	15 19 54	16 26	13♊06 43	5 04	27 24	15 03	20 38 40	28 09
8	S	15 11 43	16 20 06	16 43	28 05 32	4 58	28 23	15 00	5♋26 26	28 07
9	Su	15 15 39	17 20 21	17 00	12♋40 42	4 33	27 22	14 57	19 47 56	26 10
10	M	15 19 36	18 20 37	17 17	26 47 55	3 52	24 35	14 54	3♌40 39	22 40
11	T	15 23 33	19 20 55	17 34	10♌26 19	2 58	20 29	14 51	17 05 12	18 04
12	W	15 27 29	20 21 16	17 50	23 37 44	1 57	15 29	14 47	0♍04 23	12 46
13	Th	15 31 26	21 21 38	18 06	6♍25 43	0 N52	9 57	14 44	12 42 17	7 04
14	F	15 35 22	22 22 02	18 22	18 54 39	0 S 15	4 N10	14 41	25 03 23	1 N14
15	S	15 39 19	23 22 28	18 37	1♎09 02	1 19	1 S 40	14 38	7♎12 05	4 S 32
16	Su	15 43 15	24 22 56	18 52	13 13 02	2 19	7 21	14 35	19 12 17	10 05
17	M	15 47 12	25 23 25	19 07	25 10 14	3 11	12 42	14 32	1♏07 12	15 13
18	T	15 51 08	26 23 57	19 21	7♏01 30	3 55	17 34	14 28	12 59 22	19 46
19	W	15 55 05	27 24 29	19 35	18 55 02	4 29	21 45	14 25	24 50 42	23 31
20	Th	15 59 02	28 25 04	19 48	0♐46 31	4 51	25 03	14 22	6♐42 39	26 18
21	F	16 02 58	29♏25 40	20 02	12 39 16	5 00	27 16	14 19	18 36 31	27 55
22	S	16 06 55	0♐26 18	20 15	24 34 35	4 56	28 15	14 16	0♑33 40	28 15
23	Su	16 10 51	1 26 57	20 27	6♑35 00	4 39	27 55	14 12	12 35 50	27 15
24	M	16 14 48	2 27 37	20 39	18 39 29	4 09	26 15	14 09	24 45 17	24 57
25	T	16 18 44	3 28 18	20 51	0≈53 37	3 28	23 20	14 06	7≈04 55	21 27
26	W	16 22 41	4 29 00	21 02	13 19 40	2 36	19 19	14 03	19 38 20	16 56
27	Th	16 26 37	5 29 44	21 13	26 01 28	1 35	14 20	14 00	2♓29 33	11 33
28	F	16 30 34	6 30 28	21 24	9♓03 08	0 S 28	8 36	13 57	15 42 41	5 S 31
29	S	16 34 31	7 31 14	21 34	22 28 37	0 N43	2 S 20	13 53	29 21 16	0 N57
30	Su	16 38 27	8♐32 00	21 S 44	6♈20 52	1 N53	4 N15	13♓50	13♈27 30	7 N34

D M	Mercury			Venus			Mars			Jupiter	
	Lat.	Dec.		Lat.	Dec.		Lat.	Dec.		Lat.	Dec.
1	2 S 54	23 S 34	23 S 44	1 N28	7 S 39	8 S 07	0 S 24	20 S 04	20 S 14	0 N05	21 N13
3	2 52	23 51	23 56	1 26	8 35	9 03	0 25	20 24	20 34	0 05	21 13
5	2 47	24 00	24 01	1 25	9 31	9 58	0 26	20 43	20 53	0 06	21 13
7	2 38	23 59	23 55	1 22	10 26	10 53	0 27	21 02	21 11	0 06	21 12
9	2 24	23 49	23 39	1 20	11 20	11 46	0 28	21 20	21 28	0 06	21 12
11	2 04	23 27	23 11	1 17	12 12	12 38	0 30	21 37	21 45	0 07	21 13
13	1 37	22 52	22 29	1 15	13 04	13 29	0 31	21 53	22 01	0 07	21 13
15	1 05	22 03	21 33	1 12	13 54	14 19	0 32	22 09	22 16	0 07	21 14
17	0 S 27	21 01	20 26	1 08	14 43	15 07	0 33	22 24	22 31	0 07	21 14
19	0 N14	19 49	19 11	1 05	15 31	15 54	0 34	22 38	22 44	0 08	21 15
21	0 55	18 34	17 57	1 06	16 17	16 39	0 35	22 57	22 57	0 08	21 16
23	1 30	17 24	16 53	0 58	17 01	17 23	0 36	23 03	23 08	0 08	21 17
25	1 59	16 27	16 05	0 54	17 44	18 04	0 37	23 14	23 19	0 09	21 18
27	2 20	15 48	15 36	0 50	18 24	18 44	0 38	23 24	23 29	0 09	21 20
29	2 32	15 29	15 S 27	0 45	19 03	19 S 21	0 39	23 34	23 S 38	0 09	21 21
31	2 N37	15 S 29		0 N41	19 S 39		0 S 40	23 S 42		0 N10	21 N23

FIRST QUARTER – Nov.28,06h.59m. (6°♓18′)

FULL MOON–Nov. 5,13h.19m. (13°♉23′)

D M	☿ Long.	♀ Long.	♂ Long.	♃ Long.	♄ Long.	♅ Long.	♆ Long.	♇ Long.	Lunar Aspects
1	2✗51	23♎11	27♏50	24♋59	25✗46	0♊16	29✗47	1♒27	☉△ ♀⚃ ♃⚃ ♄♂ ♅⚹ ♆♂ ♇∠
2	3 40	24 26	28 32	25 01	25R44	0R13	29R46	1 27	☉⚃ ☿△ ♂△ ♃△ ♄♂ ♅⚹ ♆♂ ♇⚹
3	4 25	25 41	29 15	25 03	25 41	0 11	29 45	1 28	☿⚃ ♂⚃ ♆∠
4	5 05	26 56	29♏58	25 04	25 39	0 09	29 43	1 29	♀♂° ☿∠ ♄□ ♅⊻ ♆⊻ ♇□
5	5 39	28 12	0✗41	25 05	25 36	0 06	29 42	1 29	☉♂° ♆∠ ♇∠
6	6 08	29♎27	1 24	25 06	25 34	0 04	29 41	1 30	♄♂° ♅⚹ ♆⚹ ♇△
7	6 30	0♏42	2 07	25 07	25 32	0♊01	29 40	1 31	☿♂° ♀⚃ ♃∠ ♇⚃
8	6 45	1 57	2 51	25 08	25 30	29♉59	29 39	1 31	☉⚃ ♀△ ♃⊻ ♄□ ♅⊻ ♆□
9	6 51	3 12	3 34	25 09	25 28	29 57	29 38	1 32	♃⚃ ♄∠
10	6R49	4 27	4 17	25 09	25 26	29 54	29 37	1 33	♀⚃ ♃♂ △ ⚹ △ ♂°
11	6 38	5 42	5 00	25 09	25 24	29 52	29 36	1 34	☉△ ☿□ ♀△ ♅⚃ ♇⚃
12	6 18	6 58	5 44	25R09	25 23	29 49	29 35	1 34	☉□ ♅⊻ ♆□
13	5 47	8 13	6 27	25 09	25 21	29 47	29 34	1 35	☿□ ⚹ □ ∠
14	5 05	9 28	7 11	25 08	25 19	29 44	29 34	1 36	☉⚹ ⚃
15	4 14	10 43	7 55	25 08	25 18	29 42	29 33	1 37	⚹ ∠ ⚹ ♂° △ ♂° △
16	3 14	11 59	8 38	25 07	25 17	29 39	29 32	1 38	☉∠ ∠ ⊻ ⚹ ♅⚃
17	2 05	13 14	9 22	25 06	25 16	29 37	29 31	1 39	☉⊻ ∠ □
18	0✗50	14 29	10 06	25 05	25 14	29 34	29 30	1 40	⊻ ⊻ ♇□
19	29♏31	15 45	10 50	25 03	25 13	29 32	29 30	1 41	♂ ☿♂ ♃⚃ ♇⚃
20	28 10	17 00	11 33	25 01	25 13	29 29	29 29	1 42	☉♂ ☿♂ △ △ ♂° △ ⚹
21	26 49	18 15	12 17	25 00	25 12	29 27	29 28	1 43	♂ ♄⚃ ♇∠
22	25 32	19 31	13 01	24 57	25 11	29 24	29 28	1 44	⊻ ⊻ □ □
23	24 21	20 46	13 45	24 55	25 11	29 22	29 27	1 45	⚹ ∠ ∠ ♇⊻
24	23 17	22 02	14 30	24 53	25 10	29 19	29 27	1 46	∠ ⚹ ⚹ ⊻ ♄⚃
25	22 24	23 17	15 14	24 50	25 10	29 17	29 26	1 47	⚹ ∠ ♂° ⚹ △ ⚹ ♂
26	21 41	24 32	15 58	24 47	25 10	29 14	29 26	1 49	⚹ ∠ ♄∠ ♆∠
27	21 10	25 48	16 42	24 44	25 09	29 12	29 25	1 50	□ □ ⊻ □ ⊻ ∠
28	20 51	27 03	17 27	24 41	25D09	29 09	29 25	1 51	□ ♃⚃
29	20 43	28 19	18 11	24 38	25 10	29 07	29 24	1 52	△ △ □ △ ♂ ⚹ ♇∠
30	20♏45	29♏34	18✗55	24♋34	25✗10	29♉04	29✗24	1♒54	△ ⚃ ♂ ⚹
	D								

D M	Saturn Lat.	Saturn Dec.	Uranus Lat.	Uranus Dec.	Neptune Lat.	Neptune Dec.	Pluto Lat.	Pluto Dec.
1	2S28	3S57	0S13	20N00	1S22	1S21	3S46	23S31
3	2 27	3 59	0 13	19 59	1 22	1 22	3 46	23 30
5	2 27	4 01	0 13	19 58	1 22	1 23	3 46	23 30
7	2 27	4 02	0 13	19 57	1 22	1 23	3 46	23 30
9	2 26	4 03	0 12	19 56	1 22	1 24	3 46	23 29
11	2 26	4 04	0 12	19 55	1 22	1 25	3 46	23 29
13	2 25	4 05	0 12	19 53	1 22	1 25	3 46	23 28
15	2 25	4 06	0 12	19 52	1 22	1 26	3 46	23 28
17	2 25	4 06	0 12	19 51	1 22	1 27	3 46	23 27
19	2 24	4 07	0 12	19 50	1 22	1 27	3 46	23 27
21	2 24	4 07	0 12	19 49	1 21	1 28	3 46	23 26
23	2 23	4 07	0 12	19 48	1 21	1 28	3 46	23 26
25	2 23	4 07	0 12	19 47	1 21	1 28	3 46	23 25
27	2 23	4 06	0 12	19 46	1 21	1 29	3 46	23 25
29	2 23	4 06	0 12	19 45	1 21	1 29	3 46	23 24
31	2S22	4S05	0S12	19N44	1S21	1S29	3S46	23S24

Mutual Aspects

1 ☿∥♇. ♂♯♅.
2 ⊙□♇. ♀□♃. ♀±♅.
3 ♀♥h.
4 ♂♂♅. ♂△Ψ.
6 ⊙□♅. ♀♥♅. ♀♥Ψ. ♂⚹♇.
7 ♀±♇.
8 ♀±h. ♀□♇. ♂♯♃.
9 ☿Stat.   10 ♀⚹♂.
11 ⊙♇♇. ♀±Ψ. ☿∥♇. ♃Stat.
12 ☿∠♀. ☿♂♂.
15 ♀□h. ☿∥♀.
17 ⊙△♃. ⊙△h. ☿⚹♇. ☿♯♃.
18 ♀□Ψ. ♂□♃.
19 ☿♂♅. ☿△Ψ. ⊙∥☿. ☿♯♅.
20 ⊙♂☿. ♅⚹Ψ. ⊙♯♅.
21 ⊙♂♅. ⊙△Ψ.
22 ☿△♃. ♀△h. ♀♇♇.
23 ⊙⚹♇. ☿∥♀.
25 ☿♂♀.
26 ♀△♃. ♀△h.
27 ♂∠♇. ♂∥♇.
28 ⊙♯♃. hStat.
29 ☿Stat.
30 ♀♂♅. ♀△Ψ. ♂±♃.

LAST QUARTER–Nov.12,05h.28m. (20°♌05′)

24					DECEMBER	2025				[RAPHAEL'S

D	D	Sidereal	☉	☉	☽	☽	☽	☽		24h.	
M	W	Time	Long.	Dec.	Long.	Lat.	Dec.	Node		☽ Long.	☽ Dec.

		h m s	° ′ ″	° ′	° ′ ″	° ′	° ′	° ′	° ′	° ′	° ′
1	M	16 42 24	9 ♐ 32 47	21 S 53	20 ♈ 41 01	2 N59	10 N50	13 ♈ 47	28 ♈ 01 07		14 N01
2	T	16 46 20	10 33 35	22 02	5 ♉ 27 14	3 55	17 02	13 44	12 ♉ 58 35		19 49
3	W	16 50 17	11 34 24	22 10	20 34 08	4 35	22 19	13 41	28 12 41		24 27
4	Th	16 54 13	12 35 15	22 18	5 ♊ 52 49	4 57	26 09	13 38	13 ♊ 33 05		27 23
5	F	16 58 10	13 36 06	22 26	21 11 59	4 57	28 05	13 34	28 48 02		28 15
6	S	17 02 06	14 36 59	22 33	6 ♋ 19 54	4 37	27 53	13 31	13 ♋ 46 26		27 01
7	Su	17 06 03	15 37 52	22 40	21 06 40	3 58	25 42	13 28	28 19 55		23 58
8	M	17 10 00	16 38 47	22 46	5 ♌ 25 44	3 05	21 54	13 25	12 ♌ 23 52		19 33
9	T	17 13 56	17 39 43	22 52	19 14 19	2 02	16 59	13 22	25 57 16		14 16
10	W	17 17 53	18 40 40	22 57	2 ♍ 33 03	0 N55	11 26	13 18	9 ♍ 02 07		8 31
11	Th	17 21 49	19 41 38	23 02	15 25 02	0 S 12	5 N33	13 15	21 42 22		2 N36
12	F	17 25 46	20 42 37	23 07	27 54 46	1 18	0 S 21	13 12	4 ♎ 02 55		3 S 16
13	S	17 29 42	21 43 38	23 11	10 ♎ 07 26	2 18	6 07	13 09	16 08 59		8 54
14	Su	17 33 39	22 44 39	23 14	22 08 10	3 11	11 34	13 06	28 05 33		14 07
15	M	17 37 35	23 45 42	23 17	4 ♏ 01 40	3 55	16 32	13 03	9 ♏ 57 00		18 48
16	T	17 41 32	24 46 45	23 20	15 51 59	4 28	20 52	12 59	21 47 00		22 43
17	W	17 45 29	25 47 49	23 22	27 42 23	4 50	24 21	12 56	3 ♐ 38 24		25 44
18	Th	17 49 25	26 48 55	23 24	9 ♐ 35 19	5 00	26 49	12 53	15 33 17		27 37
19	F	17 53 22	27 50 00	23 25	21 32 30	4 56	28 05	12 50	27 33 05		28 14
20	S	17 57 18	28 51 07	23 26	3 ♑ 35 10	4 39	28 02	12 47	9 ♑ 38 51		27 30
21	Su	18 01 15	29 ♐ 52 14	23 26	15 44 15	4 09	26 38	12 44	21 51 29		25 27
22	M	18 05 11	0 ♑ 53 21	23 26	28 00 41	3 28	23 57	12 40	4 ♒ 12 02		22 10
23	T	18 09 08	1 54 29	23 25	10 ♒ 25 43	2 36	20 07	12 37	16 41 59		17 50
24	W	18 13 04	2 55 37	23 24	23 01 04	1 35	15 21	12 34	29 23 19		12 40
25	Th	18 17 01	3 56 45	23 23	5 ♓ 49 02	0 S 29	9 49	12 31	12 ♓ 18 36		6 51
26	F	18 20 58	4 57 53	23 21	18 52 22	0 N40	3 S 47	12 28	25 30 44		0 S 38
27	S	18 24 54	5 59 01	23 18	2 ♈ 14 02	1 49	2 N34	12 24	9 ♈ 02 35		5 N46
28	Su	18 28 51	7 00 09	23 15	15 56 37	2 54	8 57	12 21	22 56 17		12 03
29	M	18 32 47	8 01 17	23 12	0 ♉ 01 37	3 49	15 03	12 18	7 ♉ 12 31		17 53
30	T	18 36 44	9 02 25	23 08	14 28 39	4 32	20 30	12 15	21 49 35		22 50
31	W	18 40 40	10 ♑ 03 33	23 S 03	29 ♉ 14 39	4 N57	24 N49	12 ♈ 12	6 ♊ 42 59		26 N24

D		Mercury		Venus			Mars			Jupiter	
M	Lat.		Dec.	Lat.		Dec.	Lat.		Dec.	Lat.	Dec.

	° ′	° ′	° ′	° ′	° ′	° ′	° ′	° ′	° ′	° ′	° ′
1	2 N37	15 S 29	15 S 34	0 N 41	19 S 39	19 S 56	0 S 40	23 S 42	23 S 46	0 N 10	21 N23
3	2 36	15 43	15 55	0 37	20 13	20 30	0 41	23 50	23 53	0 10	21 24
5	2 30	16 09	16 26	0 32	20 45	21 00	0 42	23 56	23 59	0 10	21 26
7	2 22	16 44	17 03	0 28	21 15	21 29	0 43	24 01	24 04	0 11	21 28
9	2 10	17 24	17 45	0 23	21 42	21 54	0 44	24 06	24 08	0 11	21 30
11	1 57	18 07	18 29	0 18	22 06	22 18	0 45	24 09	24 11	0 11	21 32
13	1 43	18 52	19 14	0 13	22 28	22 38	0 46	24 12	24 12	0 12	21 35
15	1 29	19 36	19 58	0 09	22 47	22 56	0 47	24 13	24 13	0 12	21 37
17	1 13	20 20	20 41	0 N 04	23 04	23 11	0 48	24 13	24 13	0 12	21 40
19	0 58	21 01	21 21	0 S 01	23 18	23 23	0 48	24 12	24 12	0 12	21 42
21	0 42	21 40	21 58	0 06	23 28	23 33	0 49	24 11	24 09	0 13	21 45
23	0 27	22 15	22 31	0 11	23 36	23 39	0 50	24 08	24 06	0 13	21 47
25	0 N12	22 47	23 01	0 15	23 41	23 43	0 51	24 04	24 01	0 13	21 50
27	0 S 03	23 14	23 26	0 20	23 43	23 43	0 52	23 59	23 56	0 14	21 53
29	0 17	23 37	23 S 47	0 25	23 43	23 S 41	0 53	23 52	23 S 49	0 14	21 55
31	0 S 31	23 S 56		0 S 29	23 S 39		0 S 53	23 S 45		0 N 14	21 N58

| EPHEMERIS] | | | | | | DECEMBER | | | | | | 2025 | | | | 25 |

D	☿	♀	♂	♃	♄	♅	♆	♇		Lunar Aspects								
M	Long.	Long.	Long.	Long.	Long.	Long.	Long.	Long.	⊙	☿	♀	♂	♃	♄	♅	♆	♇
1	20♏58	0♐50	19♐40	24♋30	25♓10	29♉02	29♓24	1♒55	□			□	△	□	⚹	∠	
2	21 21	2 05	20 24	24R 26	25 10	28R 59	29R 23	1 56				□		∠	⚹	⚹	□
3	21 51	3 20	21 09	24 22	25 11	28 57	29 23	1 57		♂°			⚹	⚹			
4	22 30	4 36	21 54	24 18	25 12	28 55	29 23	1 59	♂°		♂°		∠		♂	⚹	△
5	23 15	5 51	22 38	24 13	25 12	28 52	29 23	2 00				♂°	⚹	□			□
6	24 06	7 07	23 23	24 09	25 13	28 50	29 23	2 02		□					⚹	□	
7	25 02	8 22	24 08	24 04	25 14	28 47	29 23	2 03	△	□		♂	△	∠			
8	26 03	9 38	24 53	23 59	25 15	28 45	29 22	2 04	□		△		□	⚹	△	♂°	
9	27 08	10 53	25 38	23 53	25 16	28 43	29 22	2 06	△				⚹		□		
10	28 16	12 09	26 23	23 48	25 18	28 40	29 22	2 07	□			△	∠		□		
11	29♏27	13 24	27 08	23 43	25 19	28 38	29D 22	2 09	□	⚹		□	⚹	♂°	△	♂°	□
12	0♐41	14 40	27 53	23 37	25 21	28 36	29 22	2 10	⚹		□	⚹	♂°		△		△
13	1 58	15 55	28 38	23 31	25 22	28 33	29 23	2 12					□				
14	3 16	17 11	29♐23	23 25	25 24	28 31	29 23	2 13	⚹	∠	⚹		□				
15	4 36	18 26	0♑08	23 19	25 26	28 29	29 23	2 15	∠	∠	∠	⚹					□
16	5 57	19 42	0 54	23 13	25 28	28 27	29 23	2 17			∠	∠	□		□		
17	7 20	20 57	1 39	23 06	25 30	28 25	29 23	2 18	∠			∠	△	△	♂°		⚹
18	8 43	22 13	2 24	23 00	25 32	28 23	29 23	2 20		♂			□				△
19	10 08	23 28	3 10	22 53	25 34	28 20	29 24	2 21	♂		♂		□			∠	
20	11 34	24 44	3 55	22 47	25 36	28 18	29 24	2 23	♂			♂			□	∠	⚹
21	13 00	25 59	4 41	22 40	25 39	28 16	29 24	2 25	⚹		⚹		♂°	⚹	□	⚹	♂
22	14 27	27 15	5 26	22 33	25 41	28 14	29 25	2 26	∠	⚹	∠		♂°	△	⚹		
23	15 55	28 31	6 12	22 26	25 44	28 12	29 25	2 28		⚹	∠	⚹		∠		∠	
24	17 23	29♐46	6 58	22 18	25 46	28 10	29 26	2 30	∠			∠	∠	□			
25	18 52	1♑02	7 43	22 11	25 49	28 08	29 26	2 32	⚹		⚹	⚹	□			⚹	⚹
26	20 21	2 17	8 29	22 04	25 52	28 07	29 27	2 33		□			△				∠
27	21 51	3 33	9 15	21 56	25 55	28 05	29 27	2 35	□		□		♂	⚹	⚹		⚹
28	23 21	4 48	10 01	21 49	25 58	28 03	29 28	2 37						∠			
29	24 51	6 04	10 46	21 41	26 02	28 01	29 29	2 39	△	△		△	⚹	∠	□		□
30	26 22	7 19	11 32	21 33	26 05	27 59	29 29	2 40	△	□		△	⚹	□	∠		
31	27♐53	8♑35	12♑18	21♋25	26♋08	27♉58	29♓30	2♒42	□		□	□	∠	⚹	♂	⚹	△

D	Saturn		Uranus		Neptune		Pluto		Mutual Aspects
M	Lat.	Dec.	Lat.	Dec.	Lat.	Dec.	Lat.	Dec.	
1	2S22	4S05	0S12	19N44	1S21	1S29	3S46	23S24	1 ⊙□♃. ♀♄♅. 2 ♀⚹♇. 6 ☿△♃. 7 ♉∠♅. ♂▽♃. 8 ⊙∠♇. ♀□♃. ♀♄♃. 9 ⊙±♃. ♂□♄. 10 ♀♂♅. ♂⊥♇. ♆Stat. 11 ☿△♆. 13 ☿⚹♇. ♂▽♅. 14 ♀±♃. ♀∠♇. ♂□♆. 15 ⊙▽♃. ♀♄♅. 16 ⊙‖♇. 17 ⊙□♄. 18 ⊙⊥♇. ☿□♃. ♂⚹♇. 19 ⊙▽♅. ♀▽♃. ♀‖♇. 20 ♂±♅. 21 ⊙□♆. ♀□♄. ♀⊥♇. ⊙‖♀. ☿♄♃. 23 ♀±♃. ♀▽♅. 24 ⊙∠♇. ☿∠♇. ♀□♆. 25 ⊙±♃. 26 ♀⚹♇. 27 ☿▽♃. ♀±♅. ⊙‖♀. ☿‖♇. 28 ⊙‖♇. 29 ☿‖♀. 30 ☿□♄. ♀⊥♇. ☿‖♂. 31 ☿▽♅.
3	2 21	4 04	0 12	19 43	1 21	1 29	3 46	23 23	
5	2 21	4 03	0 12	19 42	1 21	1 29	3 46	23 22	
7	2 20	4 02	0 12	19 41	1 21	1 29	3 46	23 22	
9	2 20	4 01	0 12	19 40	1 21	1 29	3 46	23 21	
11	2 20	3 59	0 12	19 39	1 21	1 29	3 46	23 20	
13	2 19	3 57	0 12	19 38	1 21	1 29	3 46	23 20	
15	2 19	3 56	0 12	19 37	1 21	1 29	3 46	23 19	
17	2 18	3 54	0 12	19 36	1 20	1 28	3 46	23 18	
19	2 18	3 51	0 12	19 35	1 20	1 28	3 46	23 18	
21	2 17	3 49	0 12	19 34	1 20	1 28	3 46	23 17	
23	2 17	3 47	0 12	19 33	1 20	1 27	3 46	23 16	
25	2 17	3 44	0 12	19 33	1 20	1 27	3 46	23 15	
27	2 16	3 41	0 12	19 32	1 20	1 26	3 46	23 15	
29	2 16	3 38	0 12	19 31	1 20	1 26	3 46	23 14	
31	2S15	3S35	0S12	19N30	1S20	1S25	3S46	23S13	

JANUARY

D	⊙	☽	☽Dec.	☿	♀	♂
1	1 01 11	13 37 51	4 14	1 18	1 04	20
2	1 01 11	13 46 28	5 20	1 19	1 04	21
3	1 01 10	13 52 50	6 07	1 21	1 04	21
4	1 01 10	13 57 36	6 34	1 22	1 03	22
5	1 01 10	14 01 27	6 42	1 23	1 03	22
6	1 01 09	14 04 44	6 30	1 24	1 03	22
7	1 01 09	14 07 20	5 57	1 25	1 02	23
8	1 01 08	14 08 40	5 02	1 25	1 02	23
9	1 01 08	14 07 46	3 45	1 26	1 01	23
10	1 01 08	14 03 36	2 08	1 27	1 01	24
11	1 01 07	13 55 24	0 20	1 27	1 01	24
12	1 01 07	13 42 58	1 26	1 28	1 00	24
13	1 01 06	13 26 49	2 58	1 29	1 00	24
14	1 01 06	13 08 08	4 09	1 29	0 59	24
15	1 01 05	12 48 30	4 59	1 30	0 59	24
16	1 01 05	12 29 35	5 29	1 30	0 58	24
17	1 01 04	12 12 58	5 43	1 31	0 58	24
18	1 01 04	11 59 57	5 45	1 32	0 57	24
19	1 01 04	11 51 30	5 37	1 32	0 57	24
20	1 01 03	11 48 11	5 19	1 33	0 56	23
21	1 01 03	11 50 19	4 52	1 33	0 55	23
22	1 01 03	11 57 50	4 13	1 34	0 55	23
23	1 01 02	12 10 21	3 21	1 34	0 54	22
24	1 01 02	12 27 07	2 14	1 35	0 54	22
25	1 01 01	12 46 56	0 51	1 36	0 53	21
26	1 01 01	13 08 18	0 43	1 36	0 52	21
27	1 01 00	13 29 22	2 21	1 37	0 51	20
28	1 00 59	13 48 18	3 53	1 38	0 51	20
29	1 00 58	14 03 33	5 10	1 38	0 50	19
30	1 00 57	14 14 04	6 07	1 39	0 49	19
31	1 00 56	14 19 38	6 41	1 40	0 48	18

FEBRUARY

D	⊙	☽	☽Dec.	☿	♀	♂
1	1 00 55	14 20 40	6 53	1 40	0 47	17
2	1 00 53	14 18 04	6 42	1 41	0 46	17
3	1 00 52	14 12 52	6 09	1 42	0 45	16
4	1 00 51	14 05 59	5 15	1 43	0 44	15
5	1 00 49	13 57 59	4 00	1 43	0 43	15
6	1 00 48	13 49 03	2 29	1 44	0 42	14
7	1 00 46	13 39 10	0 46	1 45	0 41	13
8	1 00 45	13 28 09	0 57	1 46	0 40	12
9	1 00 43	13 15 52	2 31	1 46	0 38	11
10	1 00 42	13 02 27	3 48	1 47	0 37	11
11	1 00 40	12 48 12	4 44	1 48	0 36	10
12	1 00 39	12 33 46	5 21	1 48	0 34	9
13	1 00 37	12 19 57	5 42	1 49	0 33	8
14	1 00 36	12 07 38	5 49	1 50	0 31	7
15	1 00 35	11 57 45	5 43	1 50	0 30	7
16	1 00 33	11 51 08	5 28	1 51	0 28	6
17	1 00 32	11 48 31	5 02	1 51	0 26	5
18	1 00 31	11 50 26	4 26	1 51	0 25	4
19	1 00 30	11 57 13	3 38	1 52	0 23	3
20	1 00 28	12 08 59	2 37	1 51	0 21	3
21	1 00 27	12 25 30	1 21	1 51	0 19	2
22	1 00 26	12 46 06	0 07	1 51	0 17	1
23	1 00 24	13 09 42	1 42	1 50	0 15	0
24	1 00 23	13 34 39	3 16	1 49	0 13	0
25	1 00 21	13 58 55	4 42	1 47	0 11	1
26	1 00 20	14 20 12	5 52	1 45	0 08	2
27	1 00 18	14 36 24	6 41	1 43	0 06	2
28	1 00 16	14 45 58	7 05	1 40	0 04	3

MARCH

D	⊙	☽	☽Dec.	☿	♀	♂
1	1 00 14	14 48 15	7 03	1 37	0 01	4
2	1 00 12	14 43 36	6 35	1 33	0 01	5
3	1 00 10	14 33 11	5 43	1 28	0 04	5
4	1 00 08	14 18 38	4 27	1 23	0 06	6
5	1 00 06	14 01 40	2 53	1 17	0 09	7
6	1 00 04	13 43 49	1 09	1 11	0 11	7
7	1 00 02	13 26 12	0 35	1 04	0 14	8
8	1 00 00	13 09 31	2 10	0 57	0 16	8
9	0 59 58	12 54 09	3 28	0 49	0 19	9
10	0 59 56	12 40 14	4 28	0 41	0 21	10
11	0 59 53	12 27 46	5 10	0 33	0 23	10
12	0 59 51	12 16 44	5 35	0 24	0 26	11
13	0 59 49	12 07 14	5 47	0 15	0 28	11
14	0 59 47	11 59 23	5 46	0 07	0 30	12
15	0 59 45	11 53 28	5 35	0 02	0 31	12
16	0 59 43	11 49 52	5 12	0 10	0 33	13
17	0 59 42	11 49 02	4 39	0 18	0 34	13
18	0 59 40	11 51 28	3 53	0 26	0 35	14
19	0 59 38	11 57 37	2 56	0 32	0 36	14
20	0 59 36	12 07 53	1 45	0 38	0 37	15
21	0 59 35	12 22 29	0 24	0 43	0 38	15
22	0 59 33	12 41 20	1 05	0 47	0 38	16
23	0 59 31	13 04 40	2 36	0 50	0 38	16
24	0 59 29	13 29 30	4 03	0 52	0 37	17
25	0 59 28	13 56 16	5 19	0 53	0 37	17
26	0 59 26	14 24 02	6 19	0 53	0 36	17
27	0 59 24	14 44 22	6 58	0 51	0 35	18
28	0 59 22	15 00 24	7 13	0 49	0 34	18
29	0 59 20	15 08 06	7 00	0 46	0 32	19
30	0 59 18	15 06 25	6 18	0 42	0 31	19
31	0 59 16	14 55 45	5 07	0 38	0 29	19

APRIL

D	⊙	☽	☽Dec.	☿	♀	♂
1	0 59 14	14 37 46	3 32	0 33	0 27	20
2	0 59 11	14 14 58	1 43	0 27	0 25	20
3	0 59 09	13 50 02	0 08	0 22	0 23	21
4	0 59 07	13 25 17	1 50	0 16	0 21	21
5	0 59 04	13 02 28	3 13	0 11	0 18	21
6	0 59 02	12 42 36	4 16	0 05	0 16	21
7	0 59 00	12 26 09	5 00	0 00	0 14	22
8	0 58 57	12 13 10	5 28	0 06	0 11	22
9	0 58 55	12 03 25	5 42	0 11	0 09	22
10	0 58 53	11 56 31	5 45	0 16	0 06	23
11	0 58 51	11 52 06	5 37	0 21	0 04	23
12	0 58 49	11 49 52	5 18	0 25	0 01	23
13	0 58 47	11 49 39	4 48	0 30	0 01	24
14	0 58 45	11 51 24	4 06	0 34	0 03	24
15	0 58 43	11 55 17	3 11	0 38	0 06	24
16	0 58 41	12 01 35	2 04	0 42	0 08	24
17	0 58 40	12 10 41	0 46	0 45	0 10	25
18	0 58 38	12 23 00	0 39	0 49	0 12	25
19	0 58 36	12 38 49	2 06	0 52	0 14	25
20	0 58 35	12 58 15	3 29	0 55	0 16	25
21	0 58 33	13 21 02	4 43	0 58	0 18	26
22	0 58 31	13 46 20	5 46	1 01	0 20	26
23	0 58 30	14 12 36	6 33	1 04	0 22	26
24	0 58 28	14 37 32	7 00	1 06	0 24	26
25	0 58 26	14 58 15	7 05	1 09	0 25	26
26	0 58 25	15 11 43	6 41	1 11	0 27	27
27	0 58 23	15 15 34	5 46	1 14	0 29	27
28	0 58 21	15 08 51	4 20	1 16	0 30	27
29	0 58 19	14 52 21	2 31	1 18	0 32	27
30	0 58 18	14 28 28	0 32	1 21	0 33	27

MAY

D	☉	☽	☽Dec.	☿	♀	♂
1	0 58 16	14 00 25	1 21	1 23	0 34	28
2	0 58 14	13 31 26	2 55	1 25	0 36	28
3	0 58 11	13 04 09	4 05	1 27	0 37	28
4	0 58 09	12 40 22	4 53	1 29	0 38	28
5	0 58 07	12 21 01	5 23	1 31	0 39	28
6	0 58 05	12 06 27	5 39	1 33	0 40	28
7	0 58 04	11 56 29	5 43	1 35	0 41	29
8	0 58 02	11 50 41	5 37	1 37	0 42	29
9	0 58 00	11 48 27	5 21	1 39	0 43	29
10	0 57 58	11 49 06	4 55	1 41	0 44	29
11	0 57 57	11 52 02	4 16	1 43	0 45	29
12	0 57 55	11 56 44	3 25	1 45	0 46	29
13	0 57 54	12 02 53	2 20	1 47	0 47	30
14	0 57 52	12 10 24	1 04	1 49	0 48	30
15	0 57 51	12 19 23	0 20	1 51	0 48	30
16	0 57 50	12 30 09	1 45	1 53	0 49	30
17	0 57 48	12 43 06	3 07	1 55	0 50	30
18	0 57 47	12 58 38	4 19	1 57	0 51	30
19	0 57 46	13 16 57	5 20	1 59	0 51	30
20	0 57 45	13 37 51	6 07	2 00	0 52	31
21	0 57 44	14 00 32	6 38	2 02	0 52	31
22	0 57 43	14 23 25	6 51	2 04	0 53	31
23	0 57 42	14 44 08	6 42	2 06	0 54	31
24	0 57 41	14 59 44	6 05	2 07	0 54	31
25	0 57 40	15 07 35	4 57	2 08	0 55	31
26	0 57 39	15 05 33	3 20	2 10	0 55	31
27	0 57 38	14 53 25	1 22	2 11	0 56	31
28	0 57 36	14 32 38	0 39	2 11	0 56	32
29	0 57 35	14 06 02	2 27	2 12	0 57	32
30	0 57 34	13 36 58	3 52	2 12	0 57	32
31	0 57 32	13 08 28	4 47	2 12	0 57	32

JUNE

D	☉	☽	☽Dec.	☿	♀	♂
1	0 57 31	12 42 55	5 22	2 12	0 58	32
2	0 57 30	12 21 47	5 40	2 11	0 58	32
3	0 57 28	12 05 49	5 45	2 10	0 59	32
4	0 57 27	11 55 11	5 40	2 09	0 59	32
5	0 57 26	11 49 35	5 25	2 08	0 59	32
6	0 57 25	11 48 29	5 01	2 06	1 00	33
7	0 57 24	11 51 10	4 26	2 04	1 00	33
8	0 57 23	11 56 47	3 38	2 03	1 00	33
9	0 57 22	12 04 31	2 36	2 01	1 01	33
10	0 57 21	12 13 36	1 22	1 58	1 01	33
11	0 57 20	12 23 28	0 01	1 56	1 01	33
12	0 57 20	12 33 47	1 28	1 54	1 01	33
13	0 57 19	12 44 31	2 51	1 52	1 02	33
14	0 57 18	12 55 52	4 05	1 49	1 02	33
15	0 57 18	13 08 14	5 06	1 47	1 02	33
16	0 57 18	13 21 58	5 52	1 45	1 03	33
17	0 57 17	13 37 17	6 23	1 42	1 03	34
18	0 57 17	13 53 56	6 38	1 40	1 03	34
19	0 57 17	14 11 04	6 33	1 37	1 03	34
20	0 57 17	14 27 09	6 07	1 35	1 04	34
21	0 57 16	14 40 03	5 14	1 32	1 04	34
22	0 57 16	14 47 26	3 53	1 30	1 04	34
23	0 57 16	14 47 22	2 07	1 27	1 04	34
24	0 57 16	14 39 00	0 08	1 25	1 04	34
25	0 57 16	14 22 49	1 48	1 22	1 05	34
26	0 57 15	14 00 39	3 24	1 19	1 05	34
27	0 57 15	13 35 08	4 35	1 17	1 05	34
28	0 57 14	13 08 59	5 20	1 14	1 05	35
29	0 57 14	12 44 36	5 44	1 11	1 05	35
30	0 57 14	12 23 46	5 51	1 08	1 05	35

JULY

D	☉	☽	☽Dec.	☿	♀	♂
1	0 57 13	12 07 36	5 47	1 05	1 06	35
2	0 57 13	11 56 39	5 33	1 02	1 06	35
3	0 57 12	11 51 00	5 09	0 59	1 06	35
4	0 57 12	11 50 24	4 36	0 56	1 06	35
5	0 57 12	11 54 19	3 51	0 53	1 06	35
6	0 57 12	12 01 59	2 54	0 50	1 06	35
7	0 57 12	12 12 30	1 43	0 46	1 07	35
8	0 57 12	12 24 53	0 21	0 42	1 07	35
9	0 57 12	12 38 09	1 07	0 39	1 07	35
10	0 57 12	12 51 26	2 34	0 35	1 07	35
11	0 57 12	13 04 09	3 53	0 31	1 07	36
12	0 57 13	13 16 01	4 59	0 26	1 07	36
13	0 57 13	13 27 02	5 48	0 22	1 07	36
14	0 57 13	13 37 27	6 21	0 17	1 08	36
15	0 57 14	13 47 32	6 35	0 13	1 08	36
16	0 57 14	13 57 24	6 32	0 08	1 08	36
17	0 57 15	14 06 49	6 08	0 03	1 08	36
18	0 57 16	14 15 08	5 22	0 01	1 08	36
19	0 57 16	14 21 14	4 11	0 06	1 08	36
20	0 57 17	14 23 48	2 37	0 11	1 08	36
21	0 57 18	14 21 40	0 46	0 16	1 08	36
22	0 57 19	14 14 05	1 08	0 21	1 08	36
23	0 57 19	14 01 09	2 51	0 25	1 09	36
24	0 57 20	13 43 45	4 13	0 29	1 09	36
25	0 57 21	13 23 23	5 09	0 33	1 09	37
26	0 57 21	13 01 57	5 42	0 37	1 09	37
27	0 57 22	12 41 16	5 56	0 40	1 09	37
28	0 57 22	12 22 56	5 56	0 42	1 09	37
29	0 57 23	12 08 11	5 43	0 44	1 09	37
30	0 57 23	11 57 51	5 21	0 44	1 09	37
31	0 57 24	11 52 22	4 49	0 45	1 09	37

AUGUST

D	☉	☽	☽Dec.	☿	♀	♂
1	0 57 24	11 51 54	4 06	0 44	1 09	37
2	0 57 25	11 56 18	3 12	0 42	1 10	37
3	0 57 26	12 05 07	2 06	0 40	1 10	37
4	0 57 27	12 17 42	0 48	0 37	1 10	37
5	0 57 27	12 33 06	0 39	0 33	1 10	37
6	0 57 28	12 50 12	2 08	0 29	1 10	37
7	0 57 29	13 07 45	3 32	0 24	1 10	37
8	0 57 30	13 24 33	4 46	0 18	1 10	37
9	0 57 31	13 39 34	5 44	0 12	1 10	38
10	0 57 32	13 52 02	6 23	0 05	1 10	38
11	0 57 33	14 01 36	6 43	0 01	1 10	38
12	0 57 34	14 08 14	6 42	0 08	1 11	38
13	0 57 36	14 12 08	6 19	0 15	1 11	38
14	0 57 37	14 13 34	5 34	0 23	1 11	38
15	0 57 39	14 12 45	4 27	0 30	1 11	38
16	0 57 41	14 09 46	2 58	0 37	1 11	38
17	0 57 42	14 04 30	1 13	0 44	1 11	38
18	0 57 44	13 56 52	0 37	0 51	1 11	38
19	0 57 45	13 46 46	2 21	0 58	1 11	38
20	0 57 47	13 34 19	3 46	1 04	1 11	38
21	0 57 48	13 19 53	4 50	1 10	1 11	38
22	0 57 50	13 04 06	5 32	1 16	1 11	38
23	0 57 51	12 47 49	5 54	1 22	1 11	38
24	0 57 53	12 32 00	6 00	1 27	1 12	38
25	0 57 54	12 17 40	5 52	1 32	1 12	39
26	0 57 55	12 05 45	5 32	1 37	1 12	39
27	0 57 57	11 57 04	5 02	1 40	1 12	39
28	0 57 58	11 52 16	4 22	1 44	1 12	39
29	0 57 59	11 51 50	3 31	1 47	1 12	39
30	0 58 01	11 56 01	2 28	1 49	1 12	39
31	0 58 02	12 04 51	1 15	1 52	1 12	39

SEPTEMBER

D	☉	☽	☽Dec.	☿	♀	♂
1	0 58 04	12 18 07	0 08	1 53	1 12	39
2	0 58 05	12 35 16	1 35	1 55	1 12	39
3	0 58 06	12 55 25	3 01	1 55	1 12	39
4	0 58 08	13 17 19	4 20	1 56	1 12	39
5	0 58 09	13 39 21	5 27	1 56	1 12	39
6	0 58 11	13 59 47	6 17	1 56	1 12	39
7	0 58 12	14 16 49	6 47	1 56	1 12	39
8	0 58 14	14 29 01	6 56	1 56	1 13	39
9	0 58 16	14 35 27	6 40	1 55	1 13	39
10	0 58 18	14 35 56	5 58	1 55	1 13	40
11	0 58 20	14 30 57	4 52	1 54	1 13	40
12	0 58 22	14 21 34	3 23	1 53	1 13	40
13	0 58 25	14 09 03	1 38	1 52	1 13	40
14	0 58 27	13 54 42	0 13	1 51	1 13	40
15	0 58 29	13 39 35	1 57	1 50	1 13	40
16	0 58 31	13 24 28	3 24	1 49	1 13	40
17	0 58 33	13 09 48	4 31	1 48	1 13	40
18	0 58 35	12 55 50	5 18	1 47	1 13	40
19	0 58 37	12 42 39	5 45	1 46	1 13	40
20	0 58 39	12 30 20	5 57	1 45	1 13	40
21	0 58 41	12 19 04	5 54	1 44	1 13	40
22	0 58 43	12 09 05	5 40	1 43	1 13	40
23	0 58 45	12 00 46	5 14	1 42	1 13	40
24	0 58 47	11 54 36	4 36	1 41	1 14	40
25	0 58 49	11 51 08	3 48	1 40	1 14	41
26	0 58 51	11 50 56	2 48	1 39	1 14	41
27	0 58 52	11 54 33	1 39	1 38	1 14	41
28	0 58 54	12 02 23	0 20	1 37	1 14	41
29	0 58 56	12 14 44	1 03	1 37	1 14	41
30	0 58 58	12 31 36	2 26	1 36	1 14	41

OCTOBER

D	☉	☽	☽Dec.	☿	♀	♂
1	0 58 59	12 52 36	3 45	1 35	1 14	41
2	0 59 01	13 16 56	4 56	1 34	1 14	41
3	0 59 03	13 43 09	5 54	1 33	1 14	41
4	0 59 05	14 09 13	6 36	1 32	1 14	41
5	0 59 06	14 32 37	6 58	1 31	1 14	41
6	0 59 08	14 50 36	6 56	1 31	1 14	41
7	0 59 10	15 00 54	6 27	1 30	1 14	41
8	0 59 13	15 02 11	5 28	1 29	1 14	41
9	0 59 15	14 54 31	4 01	1 28	1 14	41
10	0 59 17	14 39 23	2 12	1 27	1 14	41
11	0 59 20	14 19 08	0 16	1 27	1 14	41
12	0 59 22	13 56 23	1 34	1 26	1 14	42
13	0 59 24	13 33 31	3 07	1 25	1 14	42
14	0 59 26	13 12 12	4 17	1 24	1 14	42
15	0 59 29	12 53 26	5 06	1 23	1 15	42
16	0 59 31	12 37 38	5 36	1 22	1 15	42
17	0 59 33	12 24 44	5 50	1 21	1 15	42
18	0 59 35	12 14 25	5 52	1 20	1 15	42
19	0 59 37	12 06 18	5 41	1 19	1 15	42
20	0 59 40	12 00 01	5 19	1 18	1 15	42
21	0 59 42	11 55 19	4 46	1 16	1 15	42
22	0 59 44	11 52 10	4 01	1 15	1 15	42
23	0 59 46	11 50 45	3 05	1 14	1 15	42
24	0 59 47	11 51 26	1 58	1 12	1 15	42
25	0 59 49	11 54 46	0 42	1 10	1 15	42
26	0 59 51	12 01 19	0 38	1 08	1 15	42
27	0 59 53	12 11 41	1 59	1 06	1 15	43
28	0 59 54	12 26 22	3 15	1 04	1 15	43
29	0 59 56	12 45 34	4 24	1 01	1 15	43
30	0 59 58	13 09 05	5 22	0 58	1 15	43
31	0 59 59	13 36 04	6 09	0 55	1 15	43

NOVEMBER

D	☉	☽	☽Dec.	☿	♀	♂
1	1 00 01	14 04 53	6 41	0 51	1 15	43
2	1 00 02	14 32 58	6 53	0 47	1 15	43
3	1 00 04	14 57 02	6 42	0 42	1 15	43
4	1 00 06	15 13 34	6 00	0 37	1 15	43
5	1 00 08	15 19 49	4 46	0 32	1 15	43
6	1 00 10	15 14 35	3 02	0 25	1 15	43
7	1 00 11	14 58 49	1 00	0 18	1 15	43
8	1 00 13	14 35 10	1 02	0 11	1 15	43
9	1 00 15	14 07 13	2 47	0 03	1 15	43
10	1 00 17	13 38 24	4 06	0 06	1 15	43
11	1 00 19	13 11 25	5 00	0 16	1 15	43
12	1 00 21	12 47 59	5 32	0 26	1 15	43
13	1 00 23	12 28 56	5 47	0 36	1 15	44
14	1 00 25	12 14 23	5 50	0 46	1 15	44
15	1 00 27	12 04 00	5 41	0 56	1 15	44
16	1 00 29	11 57 12	5 22	1 05	1 15	44
17	1 00 30	11 53 16	4 52	1 12	1 15	44
18	1 00 32	11 51 18	4 11	1 18	1 15	44
19	1 00 34	11 51 28	3 18	1 21	1 15	44
20	1 00 35	11 52 45	2 13	1 21	1 15	44
21	1 00 37	11 55 20	0 59	1 19	1 15	44
22	1 00 38	11 59 25	0 20	1 15	1 15	44
23	1 00 40	12 05 29	1 40	1 07	1 15	44
24	1 00 41	12 14 08	2 55	0 58	1 15	44
25	1 00 42	12 26 03	4 02	0 48	1 15	44
26	1 00 43	12 41 48	4 58	0 37	1 15	44
27	1 00 44	13 01 40	5 44	0 25	1 15	44
28	1 00 45	13 25 29	6 17	0 14	1 15	44
29	1 00 46	13 52 16	6 35	0 03	1 15	44
30	1 00 47	14 20 08	6 35	0 08	1 15	44

DECEMBER

D	☉	☽	☽Dec.	☿	♀	♂
1	1 00 48	14 46 13	6 11	0 18	1 15	45
2	1 00 49	15 06 54	5 17	0 27	1 15	45
3	1 00 50	15 18 41	3 51	0 35	1 15	45
4	1 00 51	15 19 09	1 56	0 42	1 15	45
5	1 00 52	15 07 55	0 12	0 48	1 15	45
6	1 00 53	14 46 46	2 12	0 54	1 15	45
7	1 00 54	14 19 03	3 48	0 59	1 15	45
8	1 00 55	13 48 35	4 54	1 03	1 15	45
9	1 00 56	13 18 14	5 34	1 07	1 15	45
10	1 00 58	12 51 58	5 52	1 10	1 15	45
11	1 00 59	12 29 45	5 55	1 13	1 15	45
12	1 01 00	12 12 40	5 46	1 15	1 16	45
13	1 01 01	12 00 43	5 27	1 17	1 16	45
14	1 01 02	11 53 30	4 58	1 19	1 16	45
15	1 01 03	11 50 19	4 19	1 21	1 16	45
16	1 01 04	11 50 24	3 30	1 22	1 16	45
17	1 01 05	11 52 56	2 28	1 23	1 16	45
18	1 01 06	11 57 12	1 18	1 24	1 16	45
19	1 01 06	12 02 40	0 03	1 25	1 16	45
20	1 01 07	12 09 05	1 24	1 26	1 16	45
21	1 01 07	12 16 26	2 41	1 27	1 16	46
22	1 01 08	12 25 02	3 50	1 27	1 16	46
23	1 01 08	12 35 21	4 47	1 28	1 16	46
24	1 01 08	12 47 58	5 31	1 29	1 16	46
25	1 01 08	13 03 20	6 03	1 29	1 16	46
26	1 01 08	13 21 40	6 20	1 29	1 16	46
27	1 01 08	13 42 35	6 23	1 30	1 16	46
28	1 01 08	14 05 01	6 07	1 30	1 16	46
29	1 01 08	14 27 02	5 27	1 31	1 16	46
30	1 01 08	14 46 00	4 19	1 31	1 16	46
31	1 01 08	14 58 54	2 42	1 31	1 16	46

JANUARY

Date	Time	Aspect	Code
1 We	06 02	☽✶Ψ	G
	07 21	☽⊼♀	g
	07 36	☽□♃	b
	10 02	☽∠h	b
	10 50	☽≈	
	12 45	☽☌P	D
	13 53	☽☍♂	B
	16 06	☽☍♂	B
	19 14	☽∥P	D
	20 20	☽∥☉	G
	21 29	☽∠☿	b
2 Th	00 38	☽∥☿	G
	02 52	☽⊼♃	G
	08 19	☽⊼☉	g
	08 32	☽∠Ψ	b
	09 51	☽△♃	G
	12 37	☽⊼h	g
	19 38	☽☌Ħ	B
3 Fr	02 34	☽✶☿	G
	03 18	☉▽♃	B
	04 09	♀⊼♃	
	04 13	☽□Ħ	B
	07 21	♂☍♂	P
	10 44	☽⊼Ψ	g
	12 33	☽∠☉	b
	15 21	☽✗	
	16 21	☽☌♂	G
	17 21	☽⊼P	g
	19 19	☿▽Ħ	
	21 37	☽∥♃	G
	23 41	♀▽♂	
4 Sa	05 47	♀⊼P	
	09 06	☉∥P	G
	13 33	☽□♃	B
	14 47	☿±♂	
	14 51	☽∥h	B
	16 32	☽✶☉	G
	16 56	☽☌h	B
	18 19	☽□♂	b
	19 18	☽∠P	b
	22 36	☉✶h	
	23 52	☿⊥P	
5 Su	07 56	☽✶Ħ	G
	11 08	☉Q♀	G
	11 10	☽∥Ψ	D
	11 57	☽□☉	B
	14 30	☽☌Ψ	D
	19 01	☽Υ	
	19 25	☽△♂	G
	21 06	☽✶P	G
6 Mo	00 11	☽⊼♀	g
	03 05	☽☌Ħ	D
	09 35	☽∠Ħ	b
	10 44	♂☉	
	13 05	♂□h	
	13 56	♀□Ψ	
	15 41	☿∥P	
	16 38	☽✶♃	G
	20 38	☽✗h	
	22 59	☽☌h	B
	23 56	☽□☉	B
7 Tu	03 51	☽∠♀	b
	10 08	☽⊼♃	g
	11 07	☽⊼Ħ	g
	17 46	☽✗Ψ	b
	18 02	☽∠♃	b
	20 49	☽△☿	G
8 We	00 22	☽□P	B
	00 28	☿▽♂	
	01 44	☿±Ħ	
	05 23	♀±♂	
	07 23	☽✶♀	G
	10 30	☿♑	
	12 37	☉±♃	
	17 31	☽∥Ħ	B
	19 17	☽∠Ψ	b
	19 21	☽⊼♃	G
	23 57	☽✶h	G
9 Th	01 08	☽□☿	b
	06 53	☽△☉	G
	08 48	☿⊼P	
	09 32	☽∥♃	
	11 12	☽☌☉	G
	14 00	☽☌Ħ	B
	16 55	☽☌P	D
	19 28	☽☌☿	G
	20 46	☽✶Ψ	G
	22 50	☽✶♂	G
10 Fr	01 07	☽♊	
	01 56	☽∥♂	B
	03 24	☽△♃	G
	04 43	♀⊥P	
	10 20	☽□☉	b
	14 18	☽☌♀	B
	18 01	☿Qh	
	22 01	☽☌♃	G
11 Sa	03 15	☽□h	B
	15 02	☉±♃	G
	17 04	☽⊼Ħ	g
	22 01	☽□♀	g
12 Su	00 40	☽⊼☉	g
	04 24	☽☉	
	14 53	☽∠☉	b
	18 59	☽∠Ħ	b
	21 16	☽△Ψ	
	21 56	☽△♀	G
	23 30	☽△h	G
13 Mo	07 30	☽△h	G
	08 13	☽△Ħ	G
	21 22	☽✶Ħ	B
	22 27	☽♂☉	B
14 Tu	01 02	☽♑	
	02 32	☽□♀	b
	03 48	♀☌♂	B
	03 53	☽∠♃	b
	04 42	♀Qħ	
	04 45	☽△♀	G
	04 51	♀Q h	
	05 21	☽∥♂	B
	09 12	☽∠♀	
	09 49	♀∥h	
	10 23	☽□h	
	11 53	☽✶P	B
	13 21	☽⊼☿	
	15 07	♀Q♂	
15 We	02 02	☽⊼♃	
	05 22	☽⊼Ħ	G
	06 58	☽✶♃	
	08 03	☽□Ψ	
16 Th	02 39	☉☍♃	B
	04 10	☽□Ħ	B
	09 21	☽⊼♂	g
	10 34	☽□☿	
	12 51	☽▽♃	
	16 46	☽♏	
	18 10	☉Q♃	
	11 20	☽✶Ψ	
	13 15	☽∠♂	b
	15 33	☽□☿	
	17 36	☽Q☉	b
	19 28	☽△♀	G
17 Fr	20 40	☽⊼h	G
	21 46	☽☍♂	B
	22 43	☽☍h	G
18 Sa	00 56	☽□♂	b
	03 32	☽∠♃	b
	14 13	☽△Ħ	
	17 53	☽✶♂	G
	18 26	☽♃Ψ	
	22 48	☽☍Ψ	B
19 Su	01 26	☽△☉	G
	02 01	☽△☉	
	03 33	☽△	
	06 51	☽△P	
	12 05	☽∥Ψ	
	15 47	☽∠♃	
	16 32	☽✶♀	G
	20 00	☉≈	
20 Mo	20 17	☽□Ħ	b
	22 35	☽⊼♀	G
	03 06	☽△♃	G
	07 48	☽±♃	
	09 56	☽∥h	B
	13 09	☽□♃	G
	15 08	☽△♃	G
	19 50	☽✶Ħ	G
21 Tu	02 27	☽∠h	G
	09 27	☽□♃	b
	12 29	☉☌P	
	16 20	☽♐	
	19 06	☽□h	B
	19 50	☽☍P	B
	20 31	☽□☉	B
22 We	00 08	☽□♀	
	11 42	☽☌Ħ	B
	18 05	☽□♀	B
	20 34	☽∥☉	G
23 Th	01 39	☽△h	G
	08 51	☽△♀	G
	09 11	☽♃♃	G
	14 10	☽✗☉	G
	15 07	♂✶Ħ	G
	15 12	☽△♂	G
	15 13	☽♃♃	b
	17 37	☽∥P	D
	17 39	☽∥♃	
	18 10	☽∥P	
	20 49	☽♂♂	
	22 07	☽△Ħ	
24 Fr	04 29	☽♐	
	08 01	☽✗P	G
	13 50	☽✶☉	B
	14 32	☽☌♂	b
	19 47	☽□♃	b
	23 55	☽∠☿	b
25 Sa	02 45	☽☌♃	B
	12 51	☽□h	b
	13 03	☽∠P	b
	21 12	☽∠☉	b
	21 21	♀∥Ψ	
	21 43	☿□♃	
	23 34	☽□♀	B
26 Su	08 25	☽⊼♀	g
	09 40	☽□Ψ	B
	13 43	☽♑	
	17 11	☽✗P	g
	18 33	♀✶Ħ	
	23 11	♀✶Ħ	
27 Mo	00 46	h∠P	
	03 20	☽☌Ψ	
	04 51	☽□Ħ	b
	08 50	☉♃Ħ	
	20 33	☽✶h	G
28 Tu	07 42	☽△Ħ	G
	08 13	☽♃♃	B
	09 53	☽✶♀	G
	13 09	☽□♃	b
	15 49	☽✶Ħ	G
	19 31	☽≈	
	21 45	☽♂☿	g
	22 56	☽♂P	D
	23 11	☽∠h	b
29 We	01 01	☽±♃	G
	04 34	☽∥P	D
	07 52	☽♂♂	
	10 31	☽∠h	
	11 44	☽±♃	
	12 32	☽∥♃	G
	12 36	☽♂☉	D
	13 39	☽∠♀	b
	15 08	☽△♃	G
	17 50	☽✶Ħ	b
30 Th	01 12	☽⊼♀	g
	03 38	☽♃Ħ	B
	07 06	☽∥☉	G
	11 29	☽□Ħ	B
	16 21	Ħ Stat	
	16 48	☽⊼♃	g
	19 23	☽⊼Ħ	g
	22 52	☽✗	
	22 56	☉⊥h	
	22 59	☽△♃	
31 Fr	02 17	☽⊼☉	g
	07 43	☽⊼♀	b
	08 24	☽♃♃	b
	17 52	☽□♃	B
	19 20	☽⊼☉	g

FEBRUARY

Date	Time	Aspect	Code
1 Sa	00 59	☽∥h	B
	03 31	☽∠P	b
	04 09	☽♂h	B
	07 50	☽∠♀	b
	09 02	☽△♂	G
	12 09	☽▽♃	G
	13 54	☽✶Ħ	b
	14 32	☽✗Ψ	
	16 33	☽♂♂	b
	17 47	☽∥Ψ	D
	20 38	☽♃♀	G
	21 49	☽☌Ψ	D
2 Su	00 00	☽♃☉	G
	02 06	☽□♃	b
	08 02	☽∠♂	B
	09 59	☽✗h	G
	11 50	☽♃☉	G
	21 42	☽∥Ħ	B
	22 41	☽⊼♃	g
	22 18	☽∠♀	
3 Mo	00 00	☽∥h	
	01 23	☽✶☉	
4 Tu	00 16	☽⊼Ψ	g
	03 19	☽⊼♀	g
	04 51	☽♃♀	
	06 57	☽✗♀	Y
	08 17	☽∠h	b
	09 40	♃ Stat	
	11 50	☽♃☉	G
	21 42	☽∥Ħ	B
	22 41	☽⊼♃	g
5 We	00 00	☽△♃	G
	01 45	☽∠Ψ	b
	02 06	☽□♃	b
	06 10	☽∠♀	b
	08 02	☽□☉	b
	09 59	☽✗h	G
	12 16	☽✗♂	G
	13 34	☽∥♃	g
	19 10	☽♃Ħ	B
	20 18	☽♃P	D
6 Th	03 29	☽✗Ψ	G
	06 44	☽♓	
	09 17	☽✗♀	G
	10 34	☽△♃	G
	13 38	☽∠♂	b
	14 10	☽⊼h	
	16 35	☽⊼h	G
7 Fr	02 16	☽♃☉	G
	03 13	☽✗♀	
	08 42	☽▽☉	G
	12 14	♀✗P	
	12 40	☽□P	b
	13 11	☽△♀	G
	14 14	☽⊥h	b
	15 18	☽✗☿	g
	15 57	☽△☉	G
	21 57	☿✗h	
	23 15	☽✶Ħ	G
	04 14	☿▽♀	g
8 Sa	04 20	☽△♂	G
	07 50	☽♃♀	b
	11 04	♃✗	
	16 28	☽♃♀	
	19 32	☽♃♃	
	20 32	☽♃☉	b
	00 00	☽□♃	
9 Su	07 12	☽⊼♃	g
	12 08	☉♂♂	
	13 15	♂△h	

	19 48	☽☌♂	B
	19 57	☽△♄	G
10	03 05	☽∥♂	B
Mo	04 49	☽✱♅	G
	05 05	☿⊥♆	
	10 19	☽∠♃	b
	13 49	☽△♆	G
	17 01	☽☊	
	18 18	☉⊥♆	
	19 28	☿□♅	
	21 21	☽☍♇	B
	23 30	☽⚼♄	b
11	01 21	☽△♀	G
Tu	03 06	☽#♇	D
	05 39	☿±♂	
	10 01	☽∥♃	G
	13 59	☽✱♃	G
	17 34	☽⚼♆	b
	19 30	☉□♅	
12	02 16	☽⊻♂	g
We	03 28	☽∥♅	B
	06 38	☽⚼♀	b
	09 00	☉±♂	
	12 26	☽□♅	B
	13 53	☽☍☉	B
	19 12	☽☍☿	B
	22 47	☽#☿	G
13	01 07	☽♍	
Th	03 01	☽#☉	G
	06 25	☽∠♂	b
	14 30	☿⊻♆	
	22 53	♀#♄	
	23 10	☽□♃	B
14	08 49	☽∥♀	G
Fr	09 32	☽#♄	B
	10 58	☽⚼♇	b
	11 14	☽✱♂	G
	12 06	☿♓	
	13 53	☽☍♄	B
	20 57	☿⊥♀	
	22 34	☽△♅	G
15	03 30	☽#♆	D
Sa	08 35	☽☍♆	B
	09 54	☉∥☿	
	11 45	☽♎	
	11 51	♂⊥♃	
	16 45	☽△♇	G
	18 19	☽∥♆	D
	20 07	☿⚼♂	
	20 58	☿⊻♇	
16	02 19	☽☍♀	B
Su	04 32	☽⚼♅	b
	10 52	☽△♃	G
	12 13	☽∥♄	B
	14 09	☽⚼☉	b
	16 58	☽#♀	G
	21 38	☉⊻♆	
	22 37	☽□♂	B
17	03 46	☽⚼☿	b
Mo	10 02	☽∥☿	G
	13 28	☽∥☉	G
	17 21	☽⚼♃	b
	23 24	☽△☉	G
18	00 19	☽♏	
Tu	05 34	☽□♇	B
	09 16	☽⚼♄	b
	10 06	☉♓	
	15 55	☽△☿	G
	16 11	♀∠♅	
	21 51	☽#♅	B
19	03 49	☽⚼♆	b
We	03 58	☿⊥♇	
	04 02	☿⊻♀	
	11 07	☽△♂	G
	15 59	☽△♄	G
	16 59	☽#♃	G
	23 45	☽∥♇	D
	23 47	☽☍♅	B
20	00 48	☽⚼♀	b
Th	10 05	☽△♆	G
	12 00	☉⚼♂	
	12 55	☽♐	
	15 38	☿#♀	
	16 41	☿Q♅	
	17 04	☽⚼♂	b
	17 32	☽□☉	B
	18 12	☽✱♇	G
	20 13	☿□♃	
21	00 44	☽#♂	B
Fr	01 35	☉⊻♇	
	07 28	☽△♀	G
	12 09	☽☍♃	B
	14 53	☽□☿	B
	23 33	☉⊥♀	
	23 40	☽∠♇	b
22	03 50	☽□♄	B
Sa	20 38	☽□♆	B
	23 09	☽♑	
23	04 15	☽⊻♇	g
Su	08 26	☽✱☉	G
	15 00	☽⚼♅	b
	16 58	☿△♂	
	17 52	☽□♀	B
	21 05	☿∥♄	
24	02 00	♂Stat	
Mo	02 40	☿∠♇	
	03 19	☉#♀	
	06 32	☽☍♂	B
	08 42	☽✱☿	G
	12 10	☽✱♄	G
	14 05	☽∠☉	b
	18 14	☽△♅	G
	18 34	☽#♂	B
25	00 21	☽⚼♃	b
Tu	03 28	☽✱♆	G
	05 40	☽♒	
	10 33	☽☌♇	D
	12 02	☿☌♄	
	14 52	☽∠♄	b
	15 16	☽∠☿	b
	15 51	☽∥♇	D
	18 33	☽⊻☉	g
	21 09	☽#♃	G
	23 54	☽✱♀	G
26	02 33	☽△♃	G
We	05 31	☽∠♆	b
	13 27	☽#♅	B
	16 44	☽⊻♄	g
	20 30	☽⊻☿	g
	22 04	☽□♅	B
27	01 33	☽∠♀	b
Th	04 46	☉⊥♇	
	06 50	☽⊻♆	g
	08 46	☽♓	
	09 38	☿✱♅	
	12 14	☽⚼♂	b
	13 30	☽⊻♇	g
	21 49	☽#♀	G
28	00 45	☽☌☉	D
Fr	02 32	☽⊻♀	g
	04 54	☽□♃	B
	06 20	☽∥☉	G
	12 57	☽△♂	G
	14 10	☽∠♇	b
	14 27	☿∥♆	
	14 37	☽∥♄	B
	18 42	☽☌♄	B
	23 32	☽✱♅	G
MARCH			
1	03 45	☽∥♆	D
Sa	04 08	☉⊻♀	
	04 19	☽☌☿	G
	05 31	☽∥☿	G
	08 05	☽☌♆	D
	09 52	☽♈	
	11 58	☽#☿	G
	14 28	☽#♆	D
	14 34	☽✱♇	G
	23 54	☽∠♅	b
2	00 14	☉Q♅	
Su	00 36	♀Stat	
	03 20	☽#♄	B
	03 25	☽☌♀	G
	05 06	☽⊻☉	g
	05 55	☽✱♃	G
	09 01	☽#☉	G
	13 52	☽□♂	B
	16 22	☿☌♆	
	18 19	☉□♃	
	19 47	☽⊻♄	g
	22 02	☽∥♀	G
3	00 18	☽⊻♅	g
Mo	06 28	☽∠♃	b
	07 16	☽∠☉	b
	08 56	☽⊻♆	g
	09 04	☿♈	
	10 37	☽♉	
	10 47	☽⊻☿	g
	15 27	☽□♇	B
	17 15	☿Q♃	
	20 31	☽∠♄	b
4	04 14	☽∥♅	B
Tu	04 16	☽⊻♀	g
	07 16	☽⊻♃	g
	09 42	☽∠♆	b
	09 47	☽✱☉	G
	11 26	☿#♆	
	14 13	☽∠☿	b
	15 25	☽✱♂	G
	20 25	☽∥♃	G
	21 37	☽✱♄	G
5	00 54	☽#♇	D
We	01 56	☽☌♅	B
	05 06	☽∠♀	b
	10 53	☽✱♆	G
	12 29	☽♊	
	13 13	☿✱♇	
	16 51	☽∠♂	b
	17 36	☽△♇	G
	18 01	☽✱☿	G
	18 54	☽∥♂	B
6	06 21	☽✱♀	G
Th	10 17	☽☌♃	G
	16 32	☽□☉	B
	18 52	☽⊻♂	g
	19 27	☽⚼♇	b
7	01 23	☽□♄	B
Fr	05 33	☽⊻♅	g
	07 32	☉∥♄	
	14 57	☽□♆	B
	16 29	☽♋	
8	03 05	☽□☿	B
Sa	05 13	☉△♂	
	08 17	☽∠♅	b
	09 54	☉∠♇	
	10 20	☽□♀	B
	15 43	☽⊻♃	g
	21 55	☉#☿	
9	00 52	☽☌♂	B
Su	02 16	☽△☉	G
	07 40	☽△♄	G
	11 39	☽✱♅	G
	15 51	☽∥♂	B
	19 25	☽∠♃	b
	20 32	☿#♄	
	21 32	☽△♆	G
	22 59	☽☊	
10	04 48	☽☍♇	B
Mo	08 20	☽⚼☉	b
	10 18	☽#♇	D
	11 47	☽⚼♄	b
	13 56	☽△☿	G
	14 42	☽∥♃	G
	16 21	☽△♀	G
	23 46	☽✱♃	G
11	01 46	☽⚼♆	b
Tu	09 22	☽∥♅	B
	09 35	☽⊻♂	g
	13 43	♀∠♅	
	19 50	☽⚼☿	b
	20 03	☽⚼♀	b
	20 16	☽□♅	B
	22 55	☿☌♀	
12	07 56	☽♍	
We	08 25	☿∠♅	
	10 29	☉☌♄	
	14 53	☽∠♂	b
	20 11	☽∥♀	G
13	10 13	☽□♃	B
Th	15 21	☽∥☿	G
	19 32	☽⚼♇	b
	20 45	☽✱♂	G
	22 07	☽#♄	B
14	03 40	☽☍♄	B
Fr	06 55	☽☍☉	B
	07 06	☽△♅	G
	08 12	☽#☉	G
	09 16	☉✱♅	
	12 17	☽#♆	D
	17 47	☽☍♆	B
	18 59	☽♎	
	23 50	☽∥♆	D
15	01 27	☽△♇	G
Sa	02 42	☽∥☉	G
	06 46	☿Stat	
	09 24	☽☍♀	B
	13 11	☽⚼♅	b
	13 51	☽∥♄	B
	14 12	☽☍☿	B
	22 38	☽△♃	G
	22 38	☽#☿	G
16	09 53	☽□♂	B
Su	14 25	☽#♀	G
	22 20	☉∥♆	
17	05 19	☽⚼♃	b
Mo	07 30	☽♏	
	14 11	☽□♇	B
	18 28	☿∠♅	
	23 18	☽⚼♄	b
18	05 51	☽#♅	B
Tu	10 01	☽⚼☉	b
	13 03	☽⚼♆	b
	23 56	☽△♂	G
19	00 25	☽⚼♀	b
We	02 23	☽#♃	G
	06 03	☽△♄	G
	06 04	☽∥♇	D
	07 12	☽⚼☿	b
	08 38	☽☍♅	B
	19 08	☽△☉	G
	19 28	☽△♆	G
	20 17	☽♐	
	21 24	☽#♂	B
	23 25	☉☌♆	
20	02 59	☽✱♇	G
Th	05 09	☽△♀	G
	06 46	☽⚼♂	b
	09 01	☉♈	
	11 56	☽△☿	G
	23 00	♂⊥♃	
21	01 01	☽☍♃	B
Fr	08 50	☽∠♇	b
	18 23	☽□♄	B
	21 32	♀✱♇	
22	06 53	☽□♆	B
Sa	07 29	☽♑	
	11 29	☽□☉	B
	13 10	☽□♀	B
	13 59	☽⊻♇	g
	19 13	☽□☿	B
23	00 26	♀Q♃	
Su	01 07	☉☌♀	
	01 21	☽⚼♅	b
	01 44	☉Q♃	
	13 48	☉#♆	
	19 32	☉✱♇	
	23 23	☽☍♂	B
24	03 41	☽✱♄	G
Mo	05 18	☽△♅	G
	15 01	☽✱♆	G
	15 01	☽#♂	B
	15 13	☽⚼♃	b
	15 25	☽♒	
	18 15	☽✱♀	G
	19 48	☉☌☿	
	21 34	☽☌♇	D
	23 06	☽✱☿	G
	23 36	☽✱☉	G
25	02 28	☽∥♇	D
Tu	05 01	☽#♃	G
	06 52	☽∠♄	b
	15 39	☿#♄	
	17 37	☽∠♆	b
	18 01	☽△♃	G
	19 32	☽∠♀	b
	22 02	☿✱♇	
	22 56	☽#♅	B
	23 47	☽∠☿	b
26	03 49	☽∠☉	b
We	06 54	☿Q♃	
	09 04	☽⊻♄	g
	10 15	☽□♅	B
	19 18	☽⊻♆	g
	19 32	☽♓	

	20 03	☽⊻♀	g		18 20	☽⚹☉	G	12	13 20	☽△♃	G		21 06	☽∠♄	b		03 29	☽∠♀	b
	23 44	☽⊻♀	g		23 25	☽♂♃	G	Sa	14 10	☽⚼☉	G	22	00 13	☽⊥♀			05 18	☽⚹♀	G
27	01 20	☽⊻♇		3	03 18	☽Qℙ	b	13	00 22	☽♂☉	B	Tu	04 09	☽∠♀	b		06 34	☽⚷	
Th	06 58	☽⊻☉	g	Th	13 17	☽⊻♂	g	Su	01 03	♀ Stat			05 53	☽⚼♅	B		08 14	☽⚹Ψ	G
	07 25	☽Q♂	b		13 52	☽□h	B		10 01	☽□♂	B		11 04	☽△♃	G		12 39	☽△♇	G
	08 41	♀X			14 00	☽⚹♅	g		13 54	☽m			12 13	☽∠♀	b		14 29	☽⚹♂	G
	13 13	♀♂Ψ			16 37	☽□♀	B		20 14	☽Q♃	B		21 44	☉⊥h			14 58	♀⚼h	
	19 42	☽⚼♃	G		18 26	☽□♀	B		21 27	☽□ℙ	B		21 55	☽□♅	B		22 19	☽⚹☉	g
	20 56	☽□♃	B		22 50	☽☌		14	08 52	☽⚹♀			22 56	☽⚹♀	g	30	05 50	☽⚹♀	G
28	00 55	☉‖☿			23 07	☽□Ψ	B	Mo	09 30	☽Q♀	b		23 55	☽⚼h	g	We	12 53	☽Qℙ	b
Fr	02 02	☽∠ℙ	b	4	16 13	☽∠♅	b		11 57	♀⚼♀		23	05 07	☽X			15 31	☽∠♂	b
	06 01	☽‖h	B	Fr	16 21	h⚹♅			12 22	☽Qh	b	We	06 35	☽⚼Ψ	g		16 58	☽♂♃	G
	08 27	☽△♂	G		23 05	♂⚹♅	B		14 05	☽⚼♅	B		09 07	☽⚼☉	g		17 16	♀Y	
	09 21	☽⚼☉	G	5	01 08	♂△h			18 25	☽Q♀	b		11 14	☽⚹☉	G				
	10 32	☽⚼♀	G	Sa	02 15	☽□☉	B		21 11	☽⚼♀			11 39	☽⚼ℙ	g		**MAY**		
	11 04	☽♂h	B		03 47	☉Q♀			21 28	☽Q♀	B		16 24	☽⚹♀	g	1	00 33	☽∠☉	b
	11 55	☽⚹♅	G		04 12	☽⚼♃	g	15	04 20	☽⚼♅	B		17 10	☽□ℙ	B	Th	01 15	☽⚼♅	g
	15 56	☽‖Ψ	D		19 20	☽⚹♅	G	Tu	08 51	♂‖♃		24	11 06	☽Q♂	b		03 49	☽□h	B
	19 17	☽♂♀	G		19 29	☽△h	G		12 11	☽⚼♀	B	Th	12 59	☽∠ℙ	b		05 19	♀Qℙ	
	20 30	☽♂Ψ	D		19 49	☽♂♂	B		12 18	☽⚼♃	G		14 18	☽⚼☉	g		07 23	☽☉	
	20 36	☽Y			20 36	☽△♀	G		12 37	☽‖ℙ	D		15 10	☽□♃	B		07 57	☽□♀	B
	22 02	☽♂♀	g		22 54	☽△♀	G		16 04	☽△♀	G		20 32	☽‖h	B		09 14	☽□Ψ	B
	23 48	☽⚼♃	D	6	04 34	☽☉			17 31	☽♂♅	B	25	00 02	☽‖♀			17 22	☽⚹♂	g
29	02 12	☽⚹ℙ	G	Su	05 02	☽△Ψ	G		19 00	☽△h	G	Fr	00 50	☽⚹♅	G	2	02 41	☽∠♅	b
Sa	03 54	☽‖♀	G		07 58	☽∠♃	b		23 32	☽⚹h			02 54	☽♂h	B	Fr	03 45	☽⚹☉	G
	07 32	☽‖☉	G		09 22	♀‖♅		16	00 52	☽△♂	G		02 57	☽♂♀	G		13 37	☽Q♀	B
	09 26	☽⚼h	B		09 44	☉⚹♃		We	02 04	☽⚼♀	G		03 34	☽⚼♀	G		17 07	♀♂♃	g
	10 58	☽♂☉	D		10 55	☽‖♃	B		02 37	☽✓			03 47	☽‖h	D		20 45	☽⚼♃	g
	11 59	☽∠♅	b		11 19	☽♂ℙ	B		03 50	☽△Ψ	G		04 01	☽⚼♀	G	3	05 06	☽⚹♅	G
	17 23	☽‖♀	G		12 13	♀△♂			06 25	♀Y			04 12	♀Q♃		Sa	06 18	☽♂♀	
	21 32	☽⚹♃	G		16 02	☽⚼♅	D		10 08	☽⚹ℙ	B		04 29	☽∠♃			08 02	☽△h	G
30	02 18	♀X			17 17	☽‖♃	D	17	03 24	☽Q☉	b		07 24	☽Y			11 29	☽☉	
Su	02 47	♀♂Ψ			22 00	♀⚼h		Th	04 11	♀⚼Ψ			07 52	☽⚼♅	B		13 36	☽△Ψ	G
	03 15	☉∠♃			23 38	☽Qh	b		07 56	☽Q♂	b		08 53	☽♂Ψ	D		14 33	☽△♀	G
	09 18	☽□♂	B	7	02 43	☽Q♀	b		08 16	☽⚼♃			09 15	☽⚼♅	D		18 25	☽♂ℙ	B
	11 14	☽⚼h	g	Mo	09 18	☽Q♀	b		16 04	☽∠ℙ	b		09 20	☽‖♀	G		20 19	☽‖♃	g
	11 50	☽⚹♀	g		11 01	♀⚼h			16 11	☽♂♃	B		09 28	☽‖☉	G		21 37	☽△♅	G
	12 00	♀Y			11 08	♀Stat	18	04 21	☽♂♀			11 42	♀‖♀			23 21	♂∠♃	
	15 26	☉⚼h			12 37	☽⚹♃	G	Fr	04 40	☽□♀	B		12 29	☽△♂	G	4	00 12	☽∠♃	b
	17 20	☽⚹♀	g		13 26	☽‖♅	B		07 21	☽□h	B		13 34	☽⚹ℙ	B	Su	00 13	☽♂♂	B
	19 28	☽⚹♀	g		14 31	☽△☉	G		10 23	☽⚼♃			16 19	☽⚼h	B		11 10	☽‖♂	B
	20 16	☽♅			14 32	☽△☉	G		11 38	☽△☉	G		16 40	☽⚹♀	g		11 42	☽Qh	b
	20 17	☽⚼♅	g	8	04 08	☽‖☉	B		14 12	☽♂♀			22 04	☽♂♀	g		12 27	♀⊥♅	
31	21 33	☽∠♃	b	Tu	04 48	♀⚹♅	g		15 33	☽□♀	B	26	01 13	☽∠♅	b		13 52	☽□☉	B
Mo	01 53	☽□ℙ	B		06 07	☽⚹♂	g		17 50	☽□♀	B	Sa	16 18	☽∠♃	G		15 25	ℙStat	
	11 15	☽∠h	b		13 40	☽m			20 30	♀⚼♅			23 29	☽⊥Ψ			17 14	☽‖♅	B
	13 55	☽⚹♀	g		17 27	☉⊥♅			21 31	☽⚹♃	g	27	01 05	♂♂Ψ			17 21	☽Q♀	b
	14 24	☽‖♅	B		22 07	☽Q☉	b	19	19 56	☽♂♀		Su	01 07	☽⚼♅	g		19 41	☽Q♀	b
	15 58	♀⚼♀		9	12 27	☽∠♂	b	Sa	19 56	♀♂			03 16	☽⚼h	g	5	03 14	☽△♀	G
	16 27	☽∠♀	b	We	15 29	☽‖☉	G		02 00	♂‖Ψ			04 25	☽⚹♀	g	Mo	04 43	☽⚹♃	G
	18 23	☽∠♀	b	10	00 04	☽⚼♃	B	20	08 07	♀‖Ψ			06 35	☽‖☉	g		07 03	☽‖☉	
	20 15	☽∠Ψ	b	Th	02 31	☽□ℙ	b	Su	14 35	☽⚼♀			07 17	☽☉			13 03	☽□♅	B
	21 42	☽∠♃	g		09 31	☽⊥h	B		15 23	☽⚹♀	G		08 49	☽⚼♀	g		21 31	♀⚼♃	
					13 00	☽‖♀	G		15 27	☽△♅	G		13 16	☽□ℙ	B		19 40	☽m	
	APRIL				14 39	☽♂♀	B		17 21	☽⚹h	G		13 38	☽□♂	B	6	11 34	☽⚼♂	g
1	07 19	☽‖♃	G		15 36	☽△♅	G		18 21	☽⚹♅	G		14 58	☽∠♃	b	Tu	12 20	☽Q♃	b
Tu	08 56	☽⚼ℙ	D		16 26	☽♂h	B		21 40	♀⚹ℙ			16 16	☽∠♃	b		13 13	☉∠Ψ	
	10 15	☽⚹♂	g		16 40	☽△♀	G		23 22	☽≈			19 31	☽♂☉	D		20 41	☽⊥♃	
	11 33	☽⚹h	B		19 19	☽⚹♂	G	21	00 47	☽⚹Ψ	G	28	01 39	☽⚹♃	g		21 31	♀⚹ℙ	
	11 56	☽♂♅	B		19 49	☽♂♀	B	Mo	01 04	☽□♂	B	Mo	02 49	☽‖♅	B	7	00 50	☽‖♃	G
	15 44	☽‖♂	B		20 07	☽⚼Ψ	D		01 35	☽♂♂	B		03 01	☽∠h	b	We	04 50	☽△☉	G
	15 48	☽∠☉	b	11	01 12	☽△			01 36	☽□☉	B		04 47	☽∠♀	b		08 40	☽Qℙ	B
	15 54	☽⚹♀	G	Fr	02 03	☽‖Ψ	D		06 20	☽♂ℙ	B		08 28	☽∠♀	b		14 55	♂Qℙ	
	17 43	☽⚼♀	D		04 25	☽‖Ψ	D		07 00	☽⚼♀	G		11 56	☽‖♂	B		16 30	☽□♃	B
	20 26	☽X			08 06	☽‖♃	B		07 38	☽Q♃	b		16 10	☽Q♃	b		18 34	☽⚼♂	g
	20 34	☽⚼♅	G		08 38	☽△ℙ	G		09 55	☽⚼♃	B		19 47	☽⚼♃	D		19 36	☽⚼h	B
2	02 17	☽△ℙ	G		10 41	☽⚼♅	G		10 12	☽‖ℙ	D		20 36	☽‖♃	G		22 04	☽‖♀	G
We	11 24	☽∠♀	b		14 53	☽‖h	B		14 31	☽♂♀	B	29	00 33	☽♂♅	G	8	00 30	☽△♃	G
	11 52	☉‖♀			21 56	☽Q♅			19 37	☽♂♂	b	Tu	02 51	☽⚹h	G	Th	03 05	☽⚼Ψ	D

	04 11	☽☍♄	B
	07 06	☽♎	
	08 35	☽∥♆	D
	09 45	☽☍♆	B
	12 56	☿⚺♅	
	13 35	☽⚼☉	b
	14 04	☽⋕♀	G
	14 48	☽△♇	G
	16 00	☽∥♄	B
	17 22	☽☍♀	B
9	02 07	☽⚹♂	G
Fr	06 58	☽⚼♅	b
	17 31	☿⚺♄	
	19 16	☽⋕☿	G
10	06 17	☽△♃	G
Sa	12 15	☿♉	
	19 58	☽♏	
	20 38	♀⋕♄	
	21 15	☽☍☿	B
11	03 42	☽□♇	B
Su	08 01	☿⚺♆	
	13 19	☽⚼♃	b
	15 42	☽⋕☉	G
	17 39	☽□♂	B
	20 07	♂∥♅	
	22 10	☽⋕♂	B
	22 14	☽⋕♅	B
12	00 10	☽⚼♄	b
Mo	05 15	☽⚼♆	b
	16 56	☽☍☉	B
	17 23	☿□♇	
	18 41	☽⚼♀	b
	19 23	☽∥♇	D
	21 26	☽⋕♃	G
13	02 35	☽☍♅	B
Tu	06 37	☽△♄	G
	08 35	☽♐	
	10 06	☿⊥♄	
	11 29	☽△♆	G
	16 11	☽⚹♇	G
14	02 48	☽△♀	G
We	08 28	☽△♂	G
	17 57	☉∥♂	
	18 48	☿⊥♆	
	19 09	☉⚺♃	
	21 58	☽∠♇	b
15	07 05	☽⚼☿	b
Th	08 54	☽☍♃	B
	15 17	☽⚼♂	b
	18 29	☽□♄	B
	19 58	☽♑	
	20 28	☿∠♃	
	22 55	☽□♆	B
16	03 20	☽⚺♇	g
Fr	17 29	☽⚼☉	b
	17 29	☽△☿	G
	17 45	☽□♀	B
	19 40	☽⚼♅	b
	20 24	☿⚺♀	
	23 46	☉∥♅	
17	17 05	☉∠♀	
Sa	23 32	☉☌♅	
18	00 24	☽△♅	G
Su	00 28	☽△☉	G
	00 36	♀∠♅	
	04 27	☽⚹♄	G
	04 36	☿□♂	
	05 29	☽♒	
	08 27	☽⚹♆	G

	11 46	☿∠♄	
	12 34	☽☌♇	D
	12 41	☽⋕♃	G
	14 49	☽∥♇	D
19	00 23	☽⚼♃	b
Mo	00 29	♀Q♃	
	06 18	☽⚹♀	G
	07 25	☽⋕☉	G
	08 23	☽☍♂	B
	08 30	☽∠♄	b
	09 50	☽⋕♅	B
	12 00	☽□☿	B
	12 05	♂⚼♄	
	12 17	☽∠♆	b
	13 53	☿∠♆	
	16 25	☽⋕♂	B
20	01 53	☽⋕☿	G
Tu	04 13	☽△♃	G
	07 53	☽□♅	B
	09 38	☉⚹♄	
	11 22	☽∠♀	b
	11 49	☽⚺♄	g
	11 59	☽□☉	B
	12 28	☽♓	
	15 23	☽⚺♆	g
	18 55	☉♊	
	19 09	☽⚺♇	g
21	01 32	☿⊥♃	
We	15 32	☽⚺♀	g
	21 18	☽∠♇	b
	21 53	☽⋕♀	G
22	01 05	♀Q♇	
Th	02 21	☽⚹☿	G
	04 30	☿⊥♀	
	07 42	♀△♂	
	08 00	☽∥♄	B
	08 57	☿∥♂	
	09 27	☽□♃	B
	12 19	☽⚹♅	G
	12 40	☉⚹♆	
	13 11	☽∥♆	D
	16 06	☽☌♄	B
	16 26	☽♈	
	16 50	☽⋕♆	D
	18 29	☽⚼♂	b
	19 15	☽☌♆	D
	19 43	☽⚹☉	G
	21 55	☽⋕♄	B
	22 42	☽⚹♇	G
23	07 50	☽∠☿	b
Fr	09 11	☽∥♀	G
	13 25	☽∠♅	b
	16 40	♂⚼♆	
	20 13	☽△♂	G
	21 13	☽☌♀	G
	22 15	☽∠☉	b
24	07 16	☿⚺♃	
Sa	11 44	☽⚹♃	G
	12 23	☽⚺☿	g
	13 54	☽⚺♅	g
	15 55	☉△♇	
	17 35	☽⚺♄	g
	17 38	☽♉	
	20 24	☽⚺♆	g
	23 15	☿☌♅	
	23 36	☽□♇	B
25	00 08	☽⚺☉	g
Su	03 35	♄♈	
	03 52	☿∥♅	

	04 58	☽∥♂	B
	12 06	☽∠♃	b
	14 57	☽∥♅	B
	16 25	☽∥☿	G
	17 38	☽∠♄	b
	20 20	☽∠♆	b
	22 06	☽□♂	B
	22 35	☽∥☉	G
26	00 25	☽⚺♀	g
Mo	00 59	☿♊	
	01 45	☿⚹♄	
	07 10	☽⋕♇	D
	09 10	☽∥♃	G
	12 15	☽⚺♃	g
	13 52	☽☌♅	B
	17 21	☽♊	
	17 33	☽⚹♄	G
	20 05	☽☌☿	G
	20 10	☽⚹♆	G
	20 37	☿⚹♆	
	23 14	☽△♇	G
27	01 45	☽∠♀	b
Tu	03 02	☽☌☉	D
	17 56	☿△♇	
	23 12	☽⚼♇	b
	23 35	☽⚹♂	G
28	00 29	☉Q♂	
We	03 21	☽⚹♀	G
	13 01	☽☌♃	G
	14 08	☽⚺♅	g
	16 24	☉∥☿	
	17 33	☽♋	
	17 58	☽□♄	B
	20 07	♀⊥♅	
	20 30	☽□♆	B
29	00 56	☽∠♂	b
Th	04 54	☽⚺☿	g
	07 02	☽⚺☉	g
	12 16	☿∠♀	
	14 49	☿Q♂	
	15 04	☽∠♅	b
30	03 05	☽⚺♂	g
Fr	04 13	☉☌☿	
	08 45	☽□♀	B
	10 18	☽∠☉	b
	10 57	☽∠☿	b
	12 24	♃±♇	
	16 16	☽⚺♃	g
	16 50	☽⚹♅	G
	20 17	☽☊	
	21 00	☽△♄	G
	23 31	☽△♆	G
31	01 57	☽∥♃	G
Sa	02 43	☽☍♇	B
	04 13	☽⋕♇	D
	04 16	☽∥☿	G
	04 50	☿⋕♇	
	09 20	☽∥☉	G
	14 46	☽⚹☉	G
	17 48	☿Q♄	
	18 38	☽⚹☿	G
	19 23	☽∠♃	b
	22 18	☽∥♅	B
	23 59	☽⚼♄	b
JUNE			
1	01 16	☿∥♃	
Su	02 31	☽⚼♆	b
	09 08	☿Q♆	

	10 41	☽☌♂	B
	15 48	♃⚺♅	
	16 32	☽∥♂	B
	18 52	☽△♀	G
	23 32	☽□♅	B
	23 38	☽⚹♃	G
2	03 00	☽♍	
Mo	22 04	☉Q♄	
3	01 03	☽∥♀	G
Tu	01 56	☽⚼♀	b
	03 41	☽□☉	B
	13 17	☿⚼♇	
	15 01	☽⚼♇	b
	15 23	☽□☿	B
	22 58	☽⚺♂	g
4	04 37	☽⋕♄	B
We	06 55	☉Q♆	
	09 48	☽⋕♆	D
	10 15	☽△♅	G
	11 11	☽□♃	B
	11 33	♀⚺♅	
	13 23	☽∥♆	D
	13 38	☽♎	
	15 04	☽☍♄	B
	17 30	☽☍♆	B
	18 32	☽∥♄	B
	20 52	☽△♇	G
5	02 32	♀⚹♃	
Th	06 26	☽∠♂	b
	16 36	☽⚼♅	b
	20 46	☽△☉	G
	22 10	☿⚹♂	
6	03 06	☽⋕♀	G
Fr	04 43	♀♉	
	14 19	☽⚹♂	G
	16 56	☽△☿	G
7	01 04	☽△♃	G
Sa	01 32	♀⚺♄	
	02 23	☽♏	
	04 22	☽☍♀	B
	04 24	☽⋕♂	B
	05 57	☽⚼☉	b
	09 37	☽□♇	B
	18 23	☿±♇	
8	04 09	♂±♄	
Su	04 23	♀⚺♆	
	05 32	☿⚺♅	
	05 51	☽⚼☿	b
	06 12	☽⋕♅	B
	08 05	☽⚼♃	b
	10 41	☽⚼♄	b
	12 48	☽⚼♆	b
	18 04	☉⋕♇	
	20 12	☿☌♃	
	22 58	☿♋	
9	02 24	☽∥♇	D
Mo	02 35	☽⋕☉	G
	02 46	☉⚼♇	
	04 52	☽⋕♃	G
	05 57	☽□♂	B
	10 48	☿□♄	
	12 06	☽☍♅	B
	14 56	☽♐	
	16 56	☽△♄	G
	17 20	♀□♇	
	18 55	☽△♆	G
	20 25	☽⋕☿	G
	21 02	♃♋	
	21 58	☽⚹♇	G

	22 54	☿□♆	
10	03 41	♂±♆	
Tu	17 13	☿⊽♇	
11	03 32	☽∠♇	b
We	06 41	☽⚼♀	b
	07 36	☿⊥♅	
	07 44	☽☍☉	B
	19 41	☿⚹♀	
	19 58	☽△♂	G
12	01 55	☽♑	
Th	02 54	☽☍♃	B
	04 07	☽□♄	B
	05 51	☽□♆	B
	08 39	☽⚺♇	g
	14 22	☽△♀	G
	15 56	☽☍☿	B
13	02 10	☽⚼♂	b
Fr	04 24	☽⚼♅	b
	07 33	♀⊥♄	
14	03 17	☽⋕☿	G
Sa	03 38	♀⊥♆	
	07 10	☉∥♃	
	08 52	☽△♅	G
	11 00	☽♒	
	13 21	☽⚹♄	G
	14 51	☽⚹♆	G
	15 58	☽⋕☉	G
	16 04	☽⋕♃	G
	17 27	☽☌♇	D
	18 09	☽∥♇	D
15	03 57	☽□♀	B
Su	04 23	☽⚼☉	b
	09 47	♂□♅	
	12 28	☽⋕♅	B
	14 36	♃□♄	
	17 14	☽∠♄	b
	17 16	☽⚼♃	b
	18 38	☽∠♆	b
16	08 01	☿∠♅	
Mo	10 02	☽△☉	G
	16 18	☽□♅	B
	17 30	☿∠♂	
	17 31	☽☍♂	B
	17 31	☽⚼☿	b
	18 09	☽♓	
	20 27	☽⋕♂	B
	20 35	☽⚺♄	g
	21 01	☽△♃	G
	21 02	☽⋕♀	G
	21 54	☽⚺♆	g
17	00 17	☽⚺♇	g
Tu	03 13	♀∥♂	
	08 35	♂♍	
	14 53	☉∠♀	
	15 02	☽⚹♀	G
18	00 09	☽△☿	G
We	02 54	☽∠♇	b
	09 03	☉±♇	
	15 41	☽∥♄	B
	19 19	☽□☉	B
	19 32	☽∠♀	b
	19 32	☽∥♆	D
	21 34	☽⚹♅	G
	22 12	☽⋕♆	D
	23 08	☽♈	
19	01 38	☽☌♄	B
Th	02 02	☽⋕♄	B
	02 46	☽□♃	B
	02 46	☽☌♆	D

	03 16	♃□Ψ			15 08	☽⚹♀	G		02 17	☿∥♀			07 17	☽∠♇	b	We	05 32	☉⚹♑
	04 57	☽⚹♇	G		19 09	☿∠♀			04 29	☽□♀	B		12 05	♀∥♑			08 23	♀□♂
	23 19	☽∠♀	g		21 11	☉∟♑			06 20	☽⚹♂	G		17 10	☽△☉	G		12 46	☽∠☿	g
	23 20	☽∠♑	b	27	05 16	☽⚹♑	G		13 29	☽△☉	G		20 36	☽∥♄	B		14 51	☽∠♑	b
20	00 08	♂▽♄		Fr	06 05	☽♀			14 05	☽♃♑	B	16	00 09	☽∥Ψ	D	24	00 42	☽⚹♂	g
Fr	03 25	☽□♀	b		07 13	☽♂☿	G		19 46	☽□♄	b	We	02 52	☽♃Ψ	D	Th	01 23	☽⚹♀	g
	05 47	☉∠Ψ			09 04	☽△♄	G		20 20	☽□Ψ	b		04 32	☽Υ			11 23	☉△♄	
	10 32	☽□♀	B		09 49	☽△Ψ	G		22 22	♃∟♑			05 11	☽⚹♑	G		15 28	☽♀	
	16 20	☽∥♂	B		10 20	☽∥☉	G	6	04 02	☽□♃	b		05 16	☽□☿	b		16 40	☽⚹♑	G
	23 47	☽∥♀	G		10 41	☽∥♃	G	Su	06 47	☽♃☉			06 24	☽♃♄	B		17 31	☽△Ψ	
21	00 34	☽⚹♑	g		11 39	☽♂♇	B		08 43	♀⚹♄			07 53	☽♂♄	B		18 38	☽△♄	B
Sa	01 49	☽⚹☉	G		11 54	☽♃♇	D		09 49	☽∥♇	D		08 15	☽♂Ψ	D		19 04	☽△Ψ	G
	01 53	☽♂			13 04	☽∠♃	g		10 21	☽♃♑	G		09 23	☽⚹♇			19 11	☽♂☉	D
	02 36	☉∥☿			16 15	☽∠♂	g		14 47	♀⚹Ψ			19 02	☽□♃	B		19 50	☽♃♇	D
	02 42	☉☉			17 02	☽∠☉	g		19 30	☽∠♑			22 38	☽∥♂			19 59	☽♂♇	D
	03 14	♂▽Ψ		28	00 06	☽∥☿	G	22	04	☽♂♑	B	17	02 41	♀♃♄			21 28	☽∥♃	
	04 25	☽∠♄	g	Sa	03 53	☿△♄			22 06	☽↗		Th	04 44	☽⚹♀	G	25	03 53	☽∠♂	b
	05 24	☽∠Ψ	g		05 05	☽∥♑	B		22 17	☽□☉	b		07 08	☽∠♑	b	Fr	05 45	☽∠♀	b
	05 29	☽△♂	G		11 34	☽□♄	b	7	01 54	☽△♄	G		07 12	♀♃Ψ			06 00	☽∥♀	G
	06 10	☽⚹♃	G		11 58	☽△Ψ	G	Mo	02 26	☽△Ψ	G		07 21	☽△☿	G		06 33	☽♂♇	
	07 24	☽□♇	B		12 18	☽□Ψ	b		03 37	☽♂♀	D		22 54	♂♃♇			09 27	☽∠♃	g
	15 09	☿∥♃			16 07	☽∠♃	b		04 06	☽⚹♇	G	18	00 38	☽□☉	B		11 08	♂♀♃	
22	00 48	☽∥♑	B		19 10	☉∥♃			07 45	☽♑		Fr	02 17	☽∥♀			12 52	☽∥♑	B
Su	04 13	☽∠☉	b		21 50	☽∠☉	b		08 44	♀△♇			04 45	☿Stat			13 09	☽♂♃	G
	05 02	☽♂♀	B		22 41	☽∥♀	G		21 00	☽△☉	G		07 59	☽♃☉			15 51	☽∥☉	G
	05 07	☽∠♄	b	29	00 23	☽□♀	B		21 29	☽□♂	B		08 32	☽∠♀	b		21 01	☽□♄	b
	06 02	☽∠Ψ	b	Su	07 57	☽∠Ψ	B		22 17	☽□♑	b		08 45	☽∠♑	g		21 29	☽□Ψ	b
	06 16	♀∠♄	b		11 03	☽□♑	B	8	09 38	☽∠♃	g		11 13	☽∠♑	g	26	07 51	☽∠Ψ	b
	07 10	☽∠♃	b		11 43	☽♏		Tu	13 58	☿♃♑			11 35	☽∠Ψ	g	Sa	11 02	☽⚹♀	G
	09 46	☿♃♇			18 37	☽∠♀	g	We	08 55	☽↗			12 38	☽□♇			12 46	☽∠♃	b
	10 32	♂⚹♑			20 13	☽⚹♃	G		12 36	☽□♄	b		13 16	☽□♂	b		16 54	♀♃♑	
	16 21	☽∥☉	G	30	01 14	☽♂♂	B		13 04	☽□Ψ	B		13 37	☿⚹♀			20 55	☽♏	
	16 54	☽♃♇	D	Mo	01 59	☽∥♂	B		14 34	☽∠♇	g		22 57	☽⚹♑	G	22	20	☽□♑	B
	17 44	☽⚹♀	G		03 54	☽⚹☉	G		16 15	☿⊥♃		19	07 49	☽∥♑	B		23 28	☽∥☉	
	18 20	☽∥♃	G		05 51	☽∥♑	B		21 59	☽♂♃	B	Sa	10 08	☽□☉	B	27	05 07	☽⚹☉	
	18 36	☉□♄			16 16	☽⚹♃	G	10	10 11	☽△☉	G		10 52	☽∥♀	G	Su	16 57	☽⚹♃	G
	19 01	♀∠Ψ			22 06	☽□♇	b	Th	13 41	☽□♑	b		11 12	☽∥☉	G		19 18	☽∠♀	
	19 16	☽∥☉	G						20 37	☽∠♄	B		12 00	☽∠♀	G	28	03 36	♀±♇	
23	01 50	☽♂♑	B		JULY			11	00 53	♀∠♃			12 27	☽∠♄	b	Mo	05 40	☽□♇	b
Mo	02 57	☽♏		1	02 05	☽∠♀	b	Fr	01 57	♃♃♇			12 49	☽∠♃	b		07 20	☽∠♀	
	05 00	♂▽♇		Tu	12 34	☉♃♇			02 52	☽□♀	b		15 36	☽△♂	B		11 40	☽∠☉	b
	05 33	☽⚹♄	G		12 49	☽♃♄	B		15 31	☽□☉			15 55	☉∥♀			14 20	☽∥♂	B
	06 17	☽∠☉	g		14 43	☽△♀	G		17 21	☽♏		20	23 10	☽∥♃	G		18 43	☽♂♂	B
	06 25	☽⚹Ψ	g		16 50	☽♃♀	D		17 42	☽△♑	G	20	00 08	☽♃♇	D		20 04	☽♃♄	B
	07 55	☽∠♃	g		19 44	☽∥Ψ	D		20 55	☽⚹♑	G	Su	01 23	☽∠♑			22 27	☽∠♑	G
	08 18	☽△♇	B		20 47	☽△♑	D		21 20	☽⚹Ψ	D		06 43	☽⚹☉	G	29	00 17	☽♃Ψ	D
	08 26	☽□♂	B		21 16	☽♏			22 35	☽∥♇	D		10 22	☽Υ		Tu	00 57	☽□♑	
	08 29	☉□Ψ			23 46	☽∥♄	B		22 41	☽♃♃	G		10 42	♀♃♇			03 43	☽∠♀	
	18 05	♀∠♃		2	00 54	☽♂♄	B		22 42	☽♂♇	B		11 16	☽♂♑	B		03 47	☽∥Ψ	D
24	20 43	☽∠♀	b	We	05 42	☽♃♀		12	05 52	☽♃☉	G		13 31	☽⚹♄	G		05 43	☽△	
Tu	06 15	☽▽♇			03 27	☽△♇		Sa	09 07	☽△♀	G		13 53	☽⚹Ψ	G		07 21	☽△♑	B
	08 35	☽□♇	b		07 25	☽□♃	B		16 20	☽♃♑	B		14 52	☽△♑	B		08 05	☽∥♄	B
	09 32	☽∠♀	g		10 29	☽⚹☿	g		18 52	☽♃♀	G		22 18	☽♃♑	b		09 04	☽♂♄	B
	12 59	☉▽♇			14 34	☽∠♂	g		19 45	☽♂♂	B	21	01 56	☽∠♃	g		09 39	☽♂Ψ	B
	15 17	☉♃♃			19 30	☽□♑	B	13	00 17	☽∠♄	b	Mo	09 31	☽∠☉	b		10 35	☽△♇	
	23 44	☽∠♑	g		23 32	☽□♀	B	Su	00 41	☽∠Ψ	B		11 36	☽⚹☉	B		12 54	☽♃♂	
25	02 47	☽∠♑	g	3	02 49	☽♃♑	b		04 08	♄Stat			15 50	☽□♀	b		19 17	☽⚹☉	B
We	03 44	☽☉		Th	06 45	♂±♇			10 33	☽♃♃	b		18 02	♀♃♇		30	02 12	☽△♑	
	06 28	☽□♄	B		08 40	☽♃♂	B		18 28	☽♃☉	G		19 52	☽□♂	B	We	03 59	☽□♃	G
	07 16	☽□Ψ	B	4	05 47	♀⊥♃			23 45	☽♏		22	12 22	☽⚹♀			07 22	☽∠♑	
	09 33	☽♂♃	G	Fr	09 33	☽♏		14	00 15	☽□♑	B	Tu	12 22	☽⚹♑			13 03	☽□♑	b
	10 32	☽♂☉	D		12 45	♀♃♑		Mo	03 12	☽∠♑	g		12 26	☽⚹☉		31	03 57	☉☉	
	11 17	☽⚹☉	b		13 51	☽Υ			03 35	☽∠Ψ	g		13 28	☽∠♑	b	Th	09 11	☽∠♂	g
	12 02	☽∠♀	b		15 46	☽□♇	B		04 49	☽⚹♇			13 29	☽☉			10 07	☽♃☿	G
	22 28	☉⊥♂		5	21 06	☽△♃	B		12 48	☽□☉	B		15 33	☽□♄	B		17 25	☽♏	
26	03 42	☽∠♑	b		21 35	Ψ Stat			13 46	☽△♑	B		15 57	☽□Ψ	B		18 52	☽△♀	G
Th	09 45	☿⚹♑		5	02 11	☽♃♀	B		19 53	☽□♑	B		20 09	♀±♂			22 20	☽□♇	B
	13 22	☽□♀	b	Sa	02 12	☽♃♑	G	15	02 28	☽♃♂	B		22 04	☉∥♑			23 03	♀∠♑	
	14 11	☉⚹♂						Tu	04 16	☽♂♂	B	23	04 56	☽♃♃	G		23 41	☉♃♀	

AUGUST

Date	Time	Aspect	Note
1 Fr	09 43	☽⚼☉	G
	10 56	☽□♀	B
	12 41	☽□☉	B
	13 34	♀□♄	
	17 10	☽∠♂	b
	17 25	☽△♃	G
	20 49	♀□♆	
	22 03	☽⚼♅	B
2 Sa	01 49	♀⊥♀	
	03 00	☽□♄	b
	03 44	☽□♆	b
	04 30	☽□♀	b
	05 46	♀▽♇	
	09 01	☽⚼♃	G
	14 30	☽⚼♃	G
	17 45	☽∥♂	D
	20 42	♂⚹♄	
3 Su	00 16	☽□♃	b
	01 07	☽⚹☌	G
	06 00	☽⚺	
	07 59	☽☌♅	B
	09 08	☽△♄	G
	09 55	☽△♃	G
	10 46	☽⚹♇	G
	20 00	☽△♀	G
4 Mo	00 12	☽△☉	G
	14 43	⊙⚹♃	G
	16 28	☽∠♇	b
5 Tu	00 09	☽□♃	b
	04 41	⊙Q♅	
	09 09	☿⚹☿	
	14 00	☽□♀	b
	15 29	☽□☌	B
	17 04	☽⚺	
	19 54	☽□♄	B
	20 44	☽□♆	B
	21 31	☽⚹♀	g
6 We	05 59	♀⊥♅	
	06 38	☽⚹♀	B
	17 40	☽⚹♃	B
	23 23	♂△	
	23 35	☽□♅	b
7 Th	00 09	♂⚹♅	
	17 53	⊙∠♂	
8 Fr	01 18	☽⚹	
	02 35	☽△♂	G
	03 20	☽△♅	G
	03 49	☽⚹♅	G
	04 43	☽✶♆	G
	05 22	☽∥♇	D
	05 26	☽⚹♇	D
	09 08	☽⚹♃	G
	09 52	☽⚹♀	B
	13 28	☽⚹♀	G
	15 51	⊙Q♄	
	18 45	♂△♅	G
	22 57	☽⚹♅	B
9 Sa	02 52	♂⚹♄	
	04 18	⊙Q♅	
	06 44	☽∠♄	b
	06 56	☽□☌	b
	07 39	☽⚹♆	b
	07 55	☽△♆	G
	13 56	⊙∥☿	
	19 34	☽⚹☉	G
	20 11	☽⚹☉	G
	22 13	♂⚹♆	

Date	Time	Aspect	Note
10 Su	00 40	☽□♀	b
	04 28	☽⚼☉	b
	06 50	☽⚺	
	08 52	☽□♅	B
	09 05	☽⚹♄	g
	10 02	☽⚹♆	g
	10 42	☽∠♂	g
	12 29	♂△♇	
	21 31	♂∥♆	
	21 49	⊙⊥♀	
11 Mo	05 12	☽△♀	G
	06 55	☽△♃	G
	07 29	☿Stat	
	12 38	☽∠♇	b
	16 11	☽□♀	b
12 Tu	00 57	☽∥♄	B
	03 32	♄✶♅	D
	04 07	☽∥♂	D
	05 16	☽∥♆	D
	05 30	♀⚹♃	
	09 02	☽⚹♃	D
	10 25	☽⚹☉	B
	10 33	☽⚺	
13 We	12 34	☽⚹♄	B
	12 36	☽⚹♅	G
	13 22	☽⚹♃	D
	13 36	☽⚹♆	D
	14 14	☽✶♀	G
	14 30	☽⚹☌	B
	16 38	⊙⊥♃	b
	17 59	☽△♀	G
	19 39	☽□⊙	b
	20 44	☽□♃	B
	22 54	☽△⊙	G
14 Th	01 55	♀∠♅	B
	11 17	☽∥⊙	G
	13 22	☽⚺	
	15 11	☽⚹♄	g
	15 28	☽⚹♅	g
	16 19	☽⚹♆	g
	16 57	☽□♇	B
	21 49	☽□☌	B
15 We	13 03	☽□♀	B
	14 06	☽∠♀	b
	22 54	☽△⊙	G
16 Sa	01 55	♀∠♅	B
	11 17	☽∥⊙	G
	13 22	☽⚺	
	15 28	☽⚹♅	g
	16 57	☽□♇	B
	21 49	☽□☌	B
17 Su	02 33	☽✶☿	G
	02 47	☽△☌	G
	14 02	⊙⊥♄	
	17 45	☽⚹♃	g
	20 57	☽□♇	b

Date	Time	Aspect	Note
18 Mo	03 46	☽⚹♀	g
	05 33	☿✶☌	
	08 50	⊙⊥♆	
	11 53	☽✶☉	G
	19 05	☽⚳	
	20 33	☽□♄	B
	21 21	☽⚹♅	g
	21 57	☽□♆	B
19 Tu	08 30	☽□☌	B
	09 00	☽⚹♀	g
	15 38	☽∠♇	b
	22 02	☽☌♃	G
	23 19	☽∠♅	b
20 We	12 27	☽✶☉	G
	19 49	☽⚹☉	g
	23 17	☽♀	
21 Th	00 34	☽△♄	G
	01 40	☽✶♅	G
	02 08	☽△♃	G
	02 47	☽⚹♇	B
	02 55	☽⚹♃	D
	08 32	☽∥♃	G
	15 44	☽✶☌	G
	18 09	☽∥♀	G
	18 13	☽⚹♂	G
	20 25	☽∥♅	B
22 Fr	03 55	☽⚹♃	g
	04 55	☽□♆	g
	10 49	☽∥☌	G
	20 14	☽∠♂	b
	20 34	⊙♏	
	23 28	☽⚹♀	g
23 Sa	05 24	☽♍	
	06 07	☽⚹☉	D
	07 44	☽∠♃	b
	07 57	☽□♄	B
	11 05	☽⚹♄	
	12 52	☽∥☌	G
	20 45	☿Q♅	
24 Su	00 01	♃⚹♅	
	01 29	☽⚹♀	g
	05 53	♀∥♅	
	07 15	⊙□♅	
	07 35	☽⚹♀	g
	08 55	☽⚹♀	G
	10 58	⊙▽♆	
	12 14	☽✶♃	G
	13 03	☽□♇	b
	17 39	☽♃♂	B
	20 45	☽⚹♇	
25 Mo	01 55	☽♃♄	B
	06 56	☿□♄	
	07 36	☽♃♅	D
	09 13	♀Q♂	
	12 48	☽∥♆	D
	13 53	☽✶♀	G
	14 08	☽△	
	15 00	☽♃♄	B
	16 12	☽∠♀	b
	16 27	☽♀	
	16 52	☽△♅	G
	17 04	☽♃♃	B
	17 48	☽△♀	B
	18 36	☽∥♄	B
	19 41	☽⚹☉	g
	23 04	☽♀Q♀	

Date	Time	Aspect	Note
26 Tu	00 56	♀△♄	
	03 27	☽⚹☌	B
	04 31	☽∥♂	B
	14 26	☽♃♂	B
	20 58	♀✶♅	
	22 18	☽△♆	G
	22 20	☽♃♃	B
	23 23	☽♃♃	B
27 We	02 06	☽✶☿	G
	03 45	☽♃⊙	G
	05 58	☽♃♄	B
	05 58	☽♃♅	B
	08 09	☽♃♃	B
	10 37	☽□♆	b
	12 38	☽△♃	G
	18 11	☽△♃	B
	20 47	☽□♃	B
28 Th	02 04	☽∥♂	D
	02 08	☿⊥♃	
	05 10	☽□♆	B
	06 08	☽△♀	G
	07 48	☽□♀	B
	12 27	☽✶☉	G
29 Fr	00 09	☽♅♅	
	00 19	☽△♀	G
	05 58	☽⚼♀	G
	05 58	☽♃♅	B
	08 09	☽□♄	B
	10 37	☽□♆	b
	12 38	☽△♃	G
	18 11	☽△♃	B
	20 47	☽□♃	B
30 Sa	00 47	☽□♃	B
	02 04	☽∥♂	D
	02 08	☿♄♄	
	03 12	☽△♀	G
	06 25	☽□⊙	B
	21 53	☽✶☌	G
	23 42	☽∠♀	b
31 Su	03 12	☽△♀	G
	06 25	☽□⊙	B
	21 53	☽✶☌	G
	23 42	☽∠♀	b

SEPTEMBER

Date	Time	Aspect	Note
1 Mo	08 07	♄♓	
	12 23	☽□♀	b
	20 02	♂Q♅	
	23 37	☽△♀	G
2 Tu	01 39	☽□♄	B
	01 45	☽♃♅	D
	04 20	☽□♆	B
	05 09	☽⚹♀	g
	12 21	♀▽♄	
	13 23	☽♍	
	13 23	☽△⊙	G
	14 53	☽♃♀	
3 We	05 44	♀▽♅	
	07 40	☽□♅	b
	09 20	☽∥♆	b
	09 37	☽□♃	B
	11 05	♀▽♇	
	11 20	☽♃♄	B
	12 50	☽♃♃	B
	14 53	☽♃♅	D
4 Th	04 53	☽□⊙	B
	08 39	☿∠♄	
	10 01	⊙∠♂	
	10 08	☽✶♄	G
	10 32	☽♒	
	12 52	☽✶♆	G

Date	Time	Aspect	Note
	13 13	☽△♅	G
	13 28	☽♃♃	G
	13 40	☽♃♇	D
	14 01	☽∥♇	D
	22 00	☽♃♃	G
5 Fr	02 59	♂□♃	
	08 02	☽∥♃	B
	09 49	☽♃♀	B
	13 05	☽∠♄	b
	15 50	☽∠♆	b
	20 51	☽△♂	G
	21 45	♀Q♅	
	22 49	☽♃♀	G
6 Sa	04 52	♅Stat	
	09 38	⊙✶♀	
	12 52	♀⊥♀	
	15 15	☽✶♄	g
	15 54	☽♓	
	18 00	☽✶♆	g
	18 26	☽□♃	B
	18 48	☽✶♀	B
	20 27	♀Q♄	
7 Su	00 13	☽□♀	b
	04 00	☽♃♃	B
	07 41	♀♃♀	B
	12 02	☽∥♂	B
	18 09	☽♃⊙	G
	19 06	☽♃♅	G
	20 19	☽∠♄	b
8 Mo	00 25	☽△♃	G
	03 41	♀Q♅	
	06 36	☽∥♄	b
	12 29	☽∥♆	B
	17 44	☽△♄	b
	17 58	☽♃♃	B
	18 37	☽♀	
	20 33	♂♃♀	D
	21 03	☽✶♅	G
	21 21	☽✶♀	G
	22 07	☽□♀	b
	23 53	☽♃♄	B
9 Tu	01 31	☽♃♇	G
	09 03	☽∥⊙	G
	10 14	♀♃♂	
	18 49	☽△♃	G
	20 10	☽♃♃	B
	21 48	☽∠♄	b
	22 27	☽△♀	G
	22 43	☽□♀	B
	23 01	☽∥♀	G
	23 12	♀✶♀	G
10 We	01 06	☽△♀	G
	02 43	☽□♃	B
	06 54	☽♃♂	g
	18 56	☽✶♄	g
	20 03	☽♀	
	21 52	☽✶♆	g
	21 53	☽□♀	b
	22 27	☽△♀	g
	22 43	☽□♇	B
	23 12	♀✶♀	G
11 Th	01 59	☽□⊙	b
	04 11	☿♃♀	
	19 17	☽∥♄	B
	19 29	☽∠♄	b
	22 32	☽∠♆	b
12 Fr	03 43	☽∥♃	G
	04 29	☽△♀	G
	04 39	☽✶♃	G

Time	Aspect	Code
06 59	D□♀	B
07 30	⊙✶♃	
12 00	D⊥♇	D
20 14	D✶h	G
21 38	D♓	
21 53	☿✶♃	
23 23	D✶Ψ	G
13 Sa		
00 03	D☌♅	B
00 17	D△♇	G
05 55	D∠♃	b
10 52	⊙☌♀	B
12 57	D□♂	
20 21	♀⊥h	
14 Su		
01 32	D□♇	b
07 34	D✶♃	g
10 33	D□⊙	B
12 17	D□♀	B
14 10	D✶⊙	B
15 41	D△♂	G
22 46	D□h	B
15 Mo		
00 30	D⊛	
02 13	D□Ψ	B
02 58	D✶♅	g
09 52	♂⊥Ψ	
11 40	♂⊥♅	
17 53	⊙⊥h	
18 37	D∠♀	b
16 Tu		
02 59	D✶♀	
03 01	☿✶♂	
03 04	♀✶♂	
05 09	D∠♂	b
09 39	☿⊥h	
12 18	D☌♃	G
15 26	♀⊥♃	
18 53	D✶⊙	G
22 53	D□⊙	B
23 47	D✶♀	g
17 We		
00 52	D✶⊙	B
01 48	⊙∥☿	
03 14	D△h	G
05 20	D♀	
07 00	D△Ψ	G
07 52	D✶♅	G
08 05	D☌♂	B
08 31	D⊥♇	D
17 47	☿☌♂	
18 16	D∥♃	
18 Th		
00 04	D∠⊙	b
02 55	D∥♅	B
06 16	D□h	b
08 20	D∠☿	b
10 06	☿△	
10 14	D□♀	b
11 34	♀⊥h	
17 16	☿⊥Ψ	
19 17	D✶♀	g
22 01	☿✶Ψ	
19 Fr		
04 52	D△♅	
05 58	D✶⊙	g
06 27	☿△♇	
08 40	D✶♂	G
12 21	D☌♂	G
12 23	D♍	
12 39	♀♍	
14 59	D□♅	B
15 31	D∥♀	G
16 37	D✶♂	G
21 37	D⊥♂	B
23 38	D∠♃	b

Time	Aspect	Code
20 Sa		
02 43	☿Q♃	
05 20	♀▽Ψ	
05 24	♂▽h	
09 18	⊙⊥Ψ	
14 33	D∠♂	b
15 41	♀□♅	
17 59	♀▽♂	
19 37	D□♇	b
19 52	⊙⊥♀	
21 Su		
01 21	D∥☿	
04 34	D✶♃	G
05 46	⊙☌h	
06 04	D⊥h	B
12 31	D⊥♂	G
13 57	D⊥Ψ	D
16 00	D∥⊙	G
18 42	D☌h	B
19 14	D⊥⊙	G
19 54	D☌⊙	D
21 05	D✶♂	g
21 32	D∥Ψ	D
21 41	D△	
23 02	♀⊥♂	
23 14	D☌Ψ	B
22 Mo		
00 20	D△♅	G
00 33	D∥☿	G
00 34	D△♇	G
03 58	D✶♀	g
05 36	D∥h	B
07 54	♂♍	
11 36	D☌♀	G
23 Tu		
05 46	D□♅	b
11 01	♂▽Ψ	
12 50	D∠♀	b
12 53	⊙☌Ψ	
14 23	D⊥♀	G
16 02	D□♃	B
16 38	☿∥h	
17 10	⊙∠♂	
19 27	D∥♂	B
24 We		
02 55	⊙△♅	
06 05	⊙△♇	
07 15	⊙▽h	
09 00	D♍	
11 52	♂⊥♇	
11 56	D□♇	B
11 56	♂☌♂	
12 27	D✶⊙	
22 18	D✶♃	G
23 49	♀∠♃	
25 Th		
06 37	⊙∥Ψ	
09 15	D✶♂	g
11 33	D□h	b
13 22	D⊥♅	B
14 40	♀⊥♇	
16 38	D□Ψ	b
21 26	D∠⊙	b
22 06	D⊥♃	G
26 Fr		
05 06	D△♃	G
10 16	D∥♇	D
17 44	D△h	G
18 30	⊙⊛♃	
20 34	D∠☿	b
21 37	D∠	
22 58	D△Ψ	G
27 Sa		
00 13	D✶♅	B
00 32	D✶♇	B
04 14	D✶♂	g

Time	Aspect	Code
06 34	D✶⊛	G
11 50	D□♃	b
18 00	D□♀	B
22 39	☿□♅	
28 Su		
01 15	♀⊥♀	
05 05	☿⊥h	b
06 48	D∠♇	b
07 43	D✶♂	G
12 19	D∠♂	b
29 Mo		
05 44	D□h	B
09 55	D♌	
11 05	D□Ψ	B
12 43	D✶♇	g
19 55	D✶♂	B
23 54	D□⊙	B
30 Tu		
05 14	☿⊥♀	
12 20	D△♀	G
17 38	D□♅	b
23 24	⊙∥h	
OCTOBER		
1 We		
03 39	D□♀	B
05 40	D☌♃	B
15 33	D✶h	G
19 52	D≈	
20 03	D□♀	b
20 51	D▽♅	G
20 59	☿□♃	
22 05	D△♅	G
22 29	D☌♇	D
22 48	D∥♇	D
2 Th		
08 29	D□♂	B
10 37	D⊥♃	G
13 41	D△⊛	G
17 58	D⊥♅	B
19 10	D∠h	b
21 20	♀♇	
22 39	D∠Ψ	b
3 Fr		
12 42	☿⊥♅	
18 15	D△♃	G
18 47	D☌⊛	b
21 11	D∥♂	g
21 49	D✶h	g
4 Sa		
02 07	D✶	
02 56	D✶♀	g
04 06	D□♅	B
04 32	D✶♇	g
11 01	D∥♀	G
15 46	D□♃	G
16 36	D△♂	G
18 01	D∥♀	G
5 Su		
00 32	♀▽h	
06 11	D∠♇	b
06 18	D⊥♀	g
08 28	D∥⊛	G
11 34	D♂♀	G
13 56	D∥h	B
17 15	D△♃	G
19 08	D□♂	b
21 41	D∥Ψ	D
6 Mo		
00 30	D☌h	B
04 48	D♈	
05 12	D⊥Ψ	D
05 28	D☌Ψ	D
06 36	D✶♇	B
07 04	D✶♇	D
12 55	D⊥h	G

Time	Aspect	Code
16 41	☿♍	G
17 51	D∥♀	G
20 06	D⊥⊛	G
22 53	☿▽Ψ	
7 Tu		
03 48	D☌⊛	B
06 54	D∠♃	b
09 41	☿▽♅	
14 41	♀□♇	
18 24	D□♃	B
22 43	D⊥♀	G
8 We		
00 48	D✶h	g
05 12	D♂	
05 46	D✶♃	g
06 52	D✶♅	B
07 07	D⊥♂	B
07 25	D△♇	G
08 56	D☌♀	b
19 03	D∠♃	b
22 35	☿⊥Ψ	
9 Th		
00 37	D∠h	b
01 35	⊙□♅	B
05 40	D∠♀	b
09 34	D∥♃	G
14 31	♀⊥h	
18 39	D✶♃	G
20 26	D⊥♇	D
21 12	D△♀	G
00 31	D✶h	B
10 Fr		
02 04	♂□h	
05 12	D♉	
05 41	D✶✶♃	G
06 48	D♂♅	B
07 25	D△♇	G
08 56	D☌♀	b
19 03	D∠♃	b
22 35	☿⊥Ψ	
11 Sa		
07 53	D□♇	b
11 11	♀♂♇	
11 14	D△⊛	G
17 58	D□♀	b
19 57	D✶♃	g
23 02	D□h	B
02 56	D∥♀	B
12 Su		
06 37	D♊	
07 02	D□Ψ	B
08 12	D✶♅	g
22 10	D△♃	G
07 07	D△♇	G
09 12	♀∠♃	
09 53	D∠♅	b
18 13	D☌⊛	B
18 19	⊙∥♀	
23 49	D♂♃	G
13 Mo		
01 16	♀♂♃	
02 54	♇ Stat	
05 05	D△h	G
08 03	♀⊥Ψ	
10 47	D♀	
11 08	D△♃	G
12 10	D✶♀	G
12 21	D✶♅	B
13 14	D♂♇	B
13 17	D⊥♇	D
13 27	♂□♃	

Time	Aspect	Code
14 10	♀△♅	
19 03	☿♀h	
23 45	♀△♇	
15 We		
01 58	D∥♃	G
08 04	D□h	b
08 36	D∥♅	B
09 41	D□♂	B
14 22	D□Ψ	B
15 50	D□♂	B
18 22	D∠♀	b
21 17	D⊥♀	G
16 Th		
00 23	D⊥♂	B
05 06	D✶⊛	G
06 52	D✶♃	g
18 06	D♍	
19 37	D□♅	B
17 Fr		
05 31	☿□Ψ	
05 43	D□♃	
09 19	D⊥♀	G
11 29	D∠♃	b
11 57	D∠♇	b
21 38	⊙⊥♅	
18 Sa		
10 10	D✶♃	b
01 26	D□♇	b
04 01	D✶♂	G
09 00	D⊥h	B
16 43	D✶♃	
18 57	D⊥Ψ	D
19 33	D✶⊛	
19 46	D⊥♀	G
21 10	D♂♇	b
21 54	♀♀♃	
19 Su		
04 01	D△	
04 11	D✶⊛	G
04 56	D∥♀	G
05 00	D∥♀	D
05 27	D△♅	G
05 38	⊙∥Ψ	
20 Mo		
06 43	D△♇	
10 02	D∠♀	b
11 08	D∠♇	b
14 31	⊙▽h	
15 10	D∥h	B
18 26	D♂♀	G
21 Tu		
06 52	♀♂♇	
10 21	☿♀♇	
13 21	♂♀♇	
18 44	D✶♂	g
19 24	D✶♀	g
21 01	D∥⊙	G
22 We		
04 29	D□♃	B
04 41	♀⊥♅	D
09 48	♀✶	
12 25	D♂♀	
15 42	D♍	
19 20	D□♇	B
23 Th		
00 03	D∥☿	G
09 20	D∥♂	B
13 25	D✶♀	
03 26	⊙▽♃	
14 26	D□h	b
03 51	♀♍	
19 38	D△♅	G
10 55	D☌♀	B
21 55	D♂♀	b
14 57	D☌♀	G

Day	h	m	Aspect	G
	17	18	☽△♃	G
	17	35	☽∥♇	D
	17	47	☉▽♅	
	20	38	☽△♄	G
	23	20	☽∠♀	b
24 Fr	03	48	☿⊼♃	
	04	14	☽△♀	G
	04	19	☽✶	
	05	27	☽°♅	B
	06	34	☽⚹☉	g
	07	08	☽✶♇	G
	11	51	♀∥♄	
	13	25	☉□♇	
	15	08	☿△♃	
	23	51	☽□♃	b
25 Sa	07	12	☉±♄	
	09	17	☽✶♀	G
	13	31	☽∠♇	b
	15	42	☽∠☉	b
	21	17	☿△♄	
26 Su	03	27	☽∠♂	g
	07	59	♀□♅	
	09	01	☽□♄	B
	10	19	☽∠☉	
	16	42	☽□♀	B
	16	53	☽♈	
	19	42	☽✶♇	g
27 Mo	00	35	☽✶☉	G
	11	20	☽∠♂	b
	19	16	☽∠♀	b
	23	33	☽□♅	b
28 Tu	04	11	☽□♇	b
	06	19	☽△♃	
	17	57	☽°♃	B
	18	36	☽✶♂	G
	20	06	☽✶♄	B
29 We	00	42	☉±♅	G
	03	17	☽✶♀	G
	03	55	☽≈	
	04	39	☽△♅	G
	05	59	☽∥♇	
	06	39	☽♂♇	D
	07	26	☿△♀	
	09	56	☽∥♀	G
	11	02	☿✶	
	16	21	☽□☉	B
	19	05	♂△♄	
	19	36	☿°♅	
	20	06	☽⊼♃	G
	23	06	♀⊥♂	
30 Th	02	45	☽⊼♅	b
	04	37	☽∥♂	B
	08	00	☽∠♀	B
	19	35	☽△♀	B
	22	06	☽✶♇	
31 Fr	04	15	☽✶♄	g
	06	12	☽∥☉	G
	06	15	☽□♂	B
	11	25	☽✶♀	g
	11	46	☽✶	
	12	18	☽□♅	B
	14	21	☽✶♀	g
	15	32	☽□♇	B
NOVEMBER				
1 Sa	01	21	☽□♀	b
	03	37	♂⊼♅	
	03	42	☽△☉	G
	03	52	☿∥♇	D
	05	27	☽□♃	b
	08	36	☽∥♀	G
	16	42	☽∠♇	b
	21	58	☽∥♄	B
2 Su	07	14	☽∥Ψ	D
	07	17	☽△♃	G
	07	30	☽□☉	b
	07	55	♀±♅	
	08	31	☽♂♄	B
	13	17	☽△♂	G
	15	15	☽♂Ψ	D
	15	39	☽♈	
	16	01	☽✶♅	G
	16	41	☽⊼Ψ	D
	18	05	☽✶♇	G
	21	22	☉□♄	
	22	18	☽△♀	G
	23	17	☽□☌	B
3 Mo	01	47	☽⊼♄	B
	11	57	♀∇♄	
	15	14	☽□♂	b
	16	34	☽∠♅	b
	18	21	☽⊼♀	G
	23	57	☽□♀	b
4 Tu	03	59	☽△♃	B
	08	25	☽□☉	B
	09	22	☽⊼♄	g
	11	21	☽°♇	B
	13	01	♂✶	
	15	49	☽⊼♅	g
	16	16	☽✶	
	16	29	☽⊼♅	g
	17	30	♂°♅	
	18	36	☽□♇	B
	19	44	☽⊥☉	G
5 We	08	59	☽∠♄	b
	13	19	☽°☉	B
	13	38	☽∥♅	B
	17	12	☽⊥♂	B
	19	19	☽∥♃	G
6 Th	07	01	☽⊼♇	D
	07	40	☽✶♃	G
	08	24	☽✶♅	G
	09	55	☽⊥♀	G
	14	51	☽✶Ψ	G
	15	11	♂✶♇	
	15	20	☽♈	
	15	26	☽♂♅	B
	16	37	♀∇Ψ	
	17	42	☽△♇	
	17	49	☽°♂	B
	20	27	☉□Ψ	
	22	39	♀♈	
	23	31	♀∇♀	
7 Fr	01	19	☽°♂	B
	06	54	☿⊥♀	
	07	16	☽∠♃	b
	16	28	☽□♀	b
	17	24	☽□♇	
	02	22	♅∥	
8 Sa	03	36	♀±♄	
	03	44	♀□♇	
	07	13	☽✶♃	g
	07	49	☽□♄	B
	14	32	☽□Ψ	g
	15	04	☽⊼♅	g
	15	06	☽☌☉	
	16	07	♂⊼♃	
	17	40	☽□☉	b
	18	52	☽△♀	G
9 Su	15	47	☽∠♅	b
	19	01	☿ Stat	
	20	26	☽△☉	G
	22	26	☽□♂	b
10 Mo	03	30	☽□♃	b
	04	20	♀⊥♂	
	09	09	☽♂♃	
	09	39	☽△♄	G
	16	54	☽△Ψ	G
	17	22	☽✶♅	G
	17	34	☽♊	
	18	21	☽⊥♀	G
	19	06	☽⊥♇	D
	20	16	☽°♅	B
11 Tu	01	48	☽△☌	G
	02	44	☽□♀	B
	05	21	☽△♀	G
	06	08	☽⊥♂	G
	08	08	☽∥♃	
	08	21	☿∥♄	
	10	03	☽⊥♅	G
	11	56	☽□♄	b
	14	54	☽∥♃	B
	16	42	♃ Stat	
12 We	17	06	☉□♃	
	19	29	☽□♀	b
	01	40	☽⊥☉	G
	05	28	☽□☌	B
	14	49	☽∠♃	g
	23	15	☿⊥♂	
	23	29	☽♂♅	B
	23	39	☽⊥♀	G
	23	52	☽♊	
13 Th	10	49	☽□☌	B
	12	03	☽⊼♃	B
	15	47	☽✶♀	G
	19	05	☽⊼♃	b
	07	31	☽□♇	b
14 Fr	12	19	☽⊥♄	B
	19	20	☽△♀	B
	23	14	☽⊥Ψ	D
15 Sa	00	05	☽⊥♀	B
	00	09	☽✶♃	G
	00	30	☽°♄	B
	04	01	☽□♂	b
	07	55	☽°♂	
	08	50	☽°Ψ	B
	09	08	☽△♅	G
	09	44	☽♋	
16 Su	11	01	☽∥Ψ	D
	12	55	☽△♀	B
	17	40	☽✶♇	B
	22	08	☽∥♄	B
	02	16	☽✶♂	G
	03	39	☽∠♃	b
17 Mo	09	14	☽✶♀	g
	14	52	☽□♄	b
	21	12	☽∠♀	b
	02	30	☿⊥♃	
	05	08	☽△♄	
	08	56	☉△♄	
	10	16	☽∠♂	
	11	51	☽□☌	B
	12	29	☽⊥♀	g
	20	36	☿✶♇	
	21	44	☽♏	
	22	23	☽∥♀	G
18 Tu	00	39	☽⊼☌	g
	01	05	☽□♇	B
	11	23	♂□♃	
	12	20	♀□♄	
	18	26	☽□♄	b
	18	33	☽⊼☌	g
	22	14	☽∥☉	G
19 We	00	32	☽⊥♅	B
	01	50	☽∥♇	G
	03	04	☽□♀	b
	03	20	☿♏	
	04	49	☽°♀	G
	08	51	☽⊥♃	G
	10	42	☽⊼♅	
	11	45	☽°°♅	
	12	22	☽△Ψ	G
	17	55	☽⊥♃	B
20 Th	18	34	☉∥♀	G
	22	30	☽∥♇	D
	00	23	☽△♃	G
	00	45	☽△♄	G
	06	47	☽♂♅	D
	07	15	☽°♂	B
	09	23	☉°♀	
	09	24	☽△Ψ	G
	09	24	☽°♅	B
21 Fr	10	26	☽✶	
	13	52	☽✶♇	G
	14	39	♅✶♅	
	15	15	☽⊥♅	G
	21	06	☽□♃	b
	11	13	☽°♂	B
22 Sa	12	25	☽°♅	
	13	05	☉△♀	
	20	12	☽∠♀	b
	00	37	☽∥♃	B
	01	36	☉✶	
	13	13	☽□♄	b
23 Su	13	44	☽✶♀	g
	16	15	♀□♀	
	18	45	☽△♄	B
	21	48	☽⊥Ψ	B
	22	53	☽♐	
24 Mo	03	14	☽✶♀	g
	03	27	☽□♃	b
	07	25	☽∠♇	b
	09	24	☽✶♂	G
	20	28	☽✶☉	G
25 Tu	00	12	☽°♃	B
	04	48	☽✶♄	b
	01	52	☽♂♂	b
	08	52	☽△♃	b
	09	10	☽✶Ψ	b
	10	16	☽≈	
	10	37	☽∠♂	b
	11	23	☽∥♇	D
	12	42	☽∥☌	B
	13	45	☽°♄	D
	17	27	☽✶☉	G
26 We	00	51	☽⊥♃	G
	02	51	☽∥☉	G
	05	56	☽∠♄	b
	09	26	☽⊥♅	B
	14	06	☽∠Ψ	b
	16	31	♀△♃	
	17	21	☽✶☌	G
	17	58	☽∥♀	G
	23	48	♀△♄	
27 Th	03	12	☽□☿	B
	04	58	☽∥♀	B
	10	23	☽⊼♄	g
	11	32	☽□♇	B
	15	29	☽△♀	B
	16	11	♂∠♀	
	17	53	☽□☌	B
	18	19	☽⊼♀	g
	19	24	☽✗	
28 Fr	03	31	☉⊥♃	
	03	51	♄ Stat	
	06	59	☽□☉	
	13	08	☽□☌	b
29 Sa	02	03	☽∠♇	b
	03	58	☽°♂	B
	05	23	☽∥♄	B
	08	54	☽△☌	G
	15	09	☽∥Ψ	D
	15	45	☽△♃	G
	16	42	☽♂♄	B
	17	39	♀ Stat	
	23	13	☽△♀	G
	23	33	☽✶♅	G
30 Su	00	05	☽♂Ψ	D
	01	07	☽♐	
	01	17	♂✶	
	01	57	☽⊥♀	D
	02	48	♀∠♅	
	04	22	☽✶♇	G
	08	48	♀△♀	
	10	59	☽□♀	b
	11	26	☽⊥♄	B
	16	00	☽△☌	G
	20	14	♀✗	
DECEMBER				
1 Mo	00	59	☽⊥♃	b
	03	11	☽□♀	b
	10	14	☽△♂	G
	11	01	☽□☌	
	18	15	☽∠♃	B
	18	49	☽□☉	b
	19	11	♀⊥♅	
	19	22	☽∠♄	g
2 Tu	01	36	☽□♂	b
	02	14	☽∠Ψ	g
	03	13	☽♑	
	06	00	☽⊥♀	G
	06	20	☽□♇	B
	09	07	♀✶♀	
	11	55	☽□♂	b
	19	33	☽∠♄	b
	23	36	☽∥♅	B
3 We	01	17	☽⊥♀	G
	07	27	☽∥♃	G
	11	15	☽⊥☉	G
	14	07	☽°♀	B
	17	45	☽⊥♇	D

(Monthly aspectarian grid — time (h m), aspect, strength code. Moon shown as ☽. Best-effort reading of astrological glyphs.)

4 Th
| 17 57 ☽✶♃ G | 19 15 ☽✶♄ G | 20 22 ☽⊼♂ B | 01 07 ☽☌♅ B | 01 50 ☽✶♆ G | 02 48 ☽♑ | 05 53 ☽△♇ B | 09 49 ☽☌♀ B | 17 19 ☽∠♃ b | 23 14 ☽⚹☉ B |

5 Fr
| 05 24 ☽□♇ b | 09 23 ☽☌♂ B | 16 44 ☽⊼♃ g | 18 19 ☽□♄ B |

6 Sa
| 00 05 ☽✶♅ G | 00 55 ☽□♆ B | 01 54 ☽☊ | 13 05 ☿△♃ | 16 44 ☽□♀ b |

7 Su
| 09 55 ♂▽♃ G | 16 05 ☽□♀ b | 16 51 ☽☌♃ G | 16 58 ☿△♄ | 18 50 ☽△♄ G | 18 59 ☽△♀ G | 23 29 ☽⊼♂ G |

8 Mo
| 00 21 ♀⊼♃ G | 00 44 ☽✶♅ G | 01 45 ☽△♆ G | 03 40 ☽⊼♇ b | 05 05 ☽□☉ b | 06 17 ☽☌♇ B | 07 15 ☽☌♇ B | 14 08 ☽⊼♃ G | 14 10 ☽∥♃ G | 19 55 ☽△♀ G | 20 05 ☽□♂ G | 20 18 ☽□♄ b | 22 21 ☉⊼♇ G | 23 22 ☽∥♅ B |

9 Tu
| 00 16 ♂⊼♄ | 03 27 ☽□♀ b | 08 59 ☽△☉ G | 10 15 ☽△☿ G | 17 00 ☉±♃ G |

10 We
| 20 14 ☽⊼♃ g | 00 06 ☽☌♂ G | 03 26 ☽□♅ B | 03 31 ♂⊥♄ | 04 56 ☽□♆ B | 07 20 ☽♍ | 12 24 ♀Stat | 19 59 ☿☌♅ | 23 29 ☽△♃ b | 07 47 ☽□♇ B |

11 Th
| 10 19 ☿△♆ | 15 18 ☽□♀ b | 18 19 ☽△♄ B | 20 52 ☽□☉ B | 22 40 ☽☌♀ | 03 44 ☽✶♃ G | 04 30 ☽⊼♆ D | 07 00 ☽☌♇ B |

12 Fr
| 11 56 ☽□♂ B | 13 19 ☽△♅ B | 14 51 ☽⊼♆ G | 16 04 ☽△ | 16 37 ☽∥♆ D | 18 02 ☽✶☿ G | 22 58 ☽∥♄ B | 16 32 ☽✶♇ |

13 Sa
| 18 48 ☽□♂ b | 00 54 ☽✶♀ G | 03 16 ☽∠♀ b | 11 44 ♂⊼♀ | 12 52 ♀∠♇ | 13 20 ☽✶☉ G | 14 34 ☽□♃ B | 16 14 ♀±♃ | 21 00 ☽▽♃ |

14 Su
| 03 36 ☽✶♂ G | 03 51 ☽♏ | 07 34 ♂✶♀ | 08 24 ☽□♇ | 10 40 ☽∠♀ | 13 09 ♀±♅ | 13 18 ☽✶♀ g | 13 20 ☽☌♀ b |

15 Mo
| 01 00 ☽□♃ B | 02 09 ☉∥♇ | 04 40 ☽⊼♅ B |

16 Tu
| 03 03 ☽♍ | 07 34 ♂☌♀ | 08 24 ☽□♇ b | 15 03 ☉♑ | 19 01 ☽△♂ G | 20 14 ☽☌♀ | 01 26 ☽∥♇ B | 07 27 ♀⊼♃ | 10 29 ☽∥♂ B | 12 26 ☽△♅ G |

17 We
| 06 11 ☽∥♀ G | 08 59 ☽▽♅ b | 12 04 ☽∠♂ b | 16 52 ☽±♃ G | 20 42 ☽⊼♀ G | 02 00 ☽∥♀ G | 02 46 ☽△♀ G | 04 07 ☽∥♇ D | 04 28 ☽∥☉ G | 07 30 ☉△♄ G | 07 46 ☽☌☉ b | 10 56 ☽∥☉ B | 13 25 ☽☌♄ B | 15 24 ☽△♀ G | 16 38 ☽♐ | 20 31 ☽∠♂ g | 21 19 ☽✶♃ G |

18 Th
| 00 16 ☉⊥♂ | 00 28 ☿∠♀ | 08 50 ☽△♄ b | 09 32 ♂∠♀ | 10 02 ☽☌♀ B | 01 45 ♀▽♃ | 12 54 ☽∠♀ b | 16 19 ☽☌♀ | 20 04 ☽□♃ b | 23 34 ☉▽♅ G |

19 Fr
| 01 45 ♀▽♃ | 01 45 ☽∥♃ | 04 53 ☽♓ | 09 37 ☽⊼♀ | 12 42 ☽☌♂ B | 23 41 ☽±♅ | 01 00 ☉∥♀ | 05 09 ☽□♄ |

20 Sa
| 23 34 ☉▽♅ D | 00 54 ☽⊼♀ D | 03 41 ☽□♃ b | 04 53 ♀♓ | 09 37 ☽⊼♀ | 12 42 ☽☌♂ B | 23 41 ☽±♅ |

21 Su
| 01 00 ☉∥♀ | 05 09 ☽□♄ | 05 54 ☽⊼☿ g | 07 10 ☽□♀ b | 15 03 ☉♓ | 19 01 ☽△♂ | 20 14 ♀⊥♃ |

22 Mo
| 01 26 ☽∥♇ B | 07 27 ♀⊼♃ | 10 29 ☽∥♂ B | 12 26 ☽△♅ G |

23 Tu
| 14 44 ☽✶♆ G | 14 50 ☽∥♇ b | 15 11 ☽∠♀ b | 15 40 ☽∥☉ G | 15 52 ☽≈ | 16 45 ☽∥♀ D | 18 05 ☽△♀ g | 20 37 ☽☌♇ D | 00 21 ☽∥♀ G | 03 20 ☽∠♂ g | 06 22 ♀▽♅ | 12 35 ☽∠♄ b | 15 03 ☽±♅ B | 18 34 ☽∠♀ b | 19 39 ☽∠♆ b | 19 40 ☽±♃ | 23 54 ☽✶☉ G | 01 29 ☽∠☉ b | 05 31 ☽∠♀ b | 13 49 ☽∠♀ | 16 26 ♀♓ | 17 13 ☽∠♃ g | 21 42 ☽□♄ B |

24 We
| 00 05 ☽∠♀ g | 01 09 ☽♓ | 02 06 ☽✶♀ G | 05 52 ☽∠♀ G | 08 13 ☽✶♆ G | 14 31 ☽□♃ b | 15 45 ☽✶♂ G | 16 28 ☉±♅ |

25 Th
| 14 33 ☽□♀ B | 16 17 ☽⊥♅ b | 18 09 ☉∥♀ | 19 10 ☽□♆ B | 21 59 ♀±♅ |

26 Fr
| 09 36 ☽∥♆ | 12 12 ☽∥♄ B | 15 02 ☽□♃ b | 17 17 ♀∠♀ | 17 43 ☽△♃ G | 20 56 ☽∥♆ D | 00 41 ☽♂♄ | 04 34 ☽∥♅ B | 07 03 ☽♂♆ D | 07 49 ☽♂♆ D | 08 02 ☽♈ | 12 37 ☽✶♀ G | 13 16 ☿▽♃ |

27 Sa
| 21 59 ♀±♅ | 01 05 ☽□☉ B | 07 00 ☽♓ | 17 18 ☉∥♇ | 21 59 ☽□♃ B | 02 13 ☽△♀ G | 03 28 ☽△♀ G | 06 18 ☽✶♀ b | 06 23 ☽∠♄ b | 06 54 ☽△☉ G | 07 15 ☽♂♇ | 07 20 ☽∥♅ B | 12 01 ☽∠♀ b | 14 49 ☽∥☉ | 16 54 ☽±♀ | 19 15 ☽∥♃ G | 23 27 ☽✶♂ G |

28 Su
| 01 05 ☽□☉ B | 07 00 ☽♓ | 17 18 ☉∥♇ | 21 59 ☽□♃ B |

29 Mo
| 02 13 ☽△♀ G | 03 28 ☽△♀ G | 05 13 ☽✶♀ b | 06 18 ☽∠♄ | 11 04 ☽∠♀ | 11 57 ☽♉ |

30 Tu
| 06 18 ☽∠♄ b | 06 23 ☽∠♄ h | 06 54 ☽△☉ | 07 15 ☽♂♇ | 07 20 ☽∥♅ B | 12 01 ☽∠♀ b |

31 We
| 01 25 ☽△☉ G | 02 09 ☽∥♀ G | 02 11 ☽±♀ D | 04 42 ☽△♀ G | 04 45 ☽□☉ b | 05 22 ☽∥♂ G | 06 09 ☽△♀ G | 06 58 ☽✶♄ b | 08 42 ☽□☿ b | 09 56 ☽♂♅ B | 12 25 ☽✶♆ G | 13 08 ☿▽♅ | 13 13 ☽♈ | 17 35 ☽△♀ G | 23 26 ☽∠♃ b |

Longitudes of Chiron, 4 larger asteroids, and the Black Moon Lilith 2025

		Chiron ⚷	Ceres ⚳	Pallas ⚴	Juno ⚵	Vesta ⚶	BML ⚸
J A N	01	19♈00	09♒12	12♏28	19♍08	29♋25	20♉37
	11	19♈05	13♒01	16♒22	21♍52	03♍16	21♉44
	21	19♈14	16♒53	20♒14	24♍22	06♍51	22♉50
	31	19♈29	20♒47	24♒01	26♍36	10♍06	23♉57
F E B	01	19♈31	21♒11	24♒24	26♍48	10♍25	24♉03
	11	19♈51	25♒07	28♒05	28♍41	13♍12	25♉10
	21	20♈16	29♒02	01♓40	00♎11	15♍30	26♉17
	31	20♈44	02♓57	05♓07	01♎15	17♍12	27♉23
M A R	01	20♈38	02♓10	04♓26	01♎05	16♍55	27♉10
	11	21♈09	06♓04	07♓46	01♎46	18♍04	28♉17
	21	21♈42	09♓55	10♓55	01♎28R	18♍28R	29♉24
	31	22♈16	13♓43	13♓52	01♎34R	18♍03R	00♊30
A P R	01	22♈20	14♓05	14♓08	01♎30R	17♍57R	00♊37
	11	22♈55	17♓48	16♓49	00♎39R	16♍39R	01♊43
	21	23♈31	21♓25	19♓13	29♍01R	14♍41R	02♊50
	31	24♈05	24♓55	21♓17	27♍06R	12♍18R	03♊57
M A Y	01	24♈06	24♓55	21♓17	27♍06R	12♍18R	03♊57
	11	24♈40	28♓17	22♓58	24♍55R	09♍52R	05♊03
	21	25♈11	01♈30	24♓14	22♍41R	07♍44R	06♊10
	31	25♈41	04♈31	25♓00	20♍34R	06♍12R	07♊17
J U N	01	25♈43	04♈49	25♓03	20♍22R	06♍05R	07♊24
	11	26♈09	07♈35	25♓13R	18♍36R	05♍24R	08♊31
	21	26♈30	10♈05	24♓48R	17♍17R	05♍32	09♊37
	31	26♈48	12♈17	23♓45R	16♍30R	06♍28	10♊44

		Chiron ⚷	Ceres ⚳	Pallas ⚴	Juno ⚵	Vesta ⚶	BML ⚸
J U L	01	26♈48	12♈17	23♓45R	16♍30R	06♍28	10♊44
	11	27♈00	14♈06	22♓08R	16♍15	08♍07	11♊51
	21	27♈08	15♈30	20♓00R	16♍31	10♍22	12♊58
	31	27♈10R	16♈25	17♓32R	17♍17	13♍08	14♊05
A U G	01	27♈10R	16♈29	17♓17R	17♍23	13♍27	14♊12
	11	27♈06R	16♈48	14♓40R	18♍38	16♍42	15♊19
	21	26♈57R	16♈31R	12♓11R	20♍16	20♍19	16♊26
	31	26♈44R	15♈38R	10♓01R	22♍14	24♍15	17♊33
S E P	01	26♈42R	15♈31R	09♓49R	22♍27	24♍39	17♊40
	11	26♈23R	14♈01R	08♓12R	24♍45	28♍52	18♊47
	21	26♈01R	12♈04R	07♓08R	27♍17	03♎16	19♊54
	31	25♈36R	09♈51R	06♓41R	00♎03	07♎52	21♊01
O C T	01	25♈36R	09♈51R	06♓41R	00♎03	07♎52	21♊01
	11	25♈09R	07♈36R	06♓48	02♎59	12♎36	22♊08
	21	24♈42R	05♈35R	07♓27	06♎05	17♎28	23♊15
	31	24♈14R	03♈59R	08♓35	09♎19	22♎26	24♊22
N O V	01	24♈12R	03♈51R	08♓43	09♎39	22♍56	24♊29
	11	23♈46R	02♈52R	10♓17	13♎00	28♍00	25♊36
	21	23♈23R	02♈31R	12♓13	16♎26	03♏07	26♊43
	31	23♈04R	02♈48	14♓26	19♎56	08♏18	27♊50
D E C	01	23♈04R	02♈48	14♓26	19♎56	08♏18	27♊50
	11	23♈07R	03♈08	16♓39	23♎30	13♏29	28♊57
	21	22♈40R	05♈05	19♓35	27♏05	18♏46	00♋05
	31	22♈36R	07♈58	22♓27	00♏41	24♏01	01♋12

DISTANCES APART OF ALL ☌s AND ☍s IN 2025

Note: The Distances Apart are in Declination

JANUARY

Day	h m	Aspect	° '
1	12 45	☽ ☌ ♄	1 02
1	13 53	☽ ☍ ♂	0 21
3	07 21	♂ ☌ ♄	0 42
3	16 21	☽ ☌ ♀	1 13
4	16 56	☽ ☌ ♄	0 34
5	14 30	☽ ☌ ♆	0 56
9	14 00	☽ ☌ ♅	4 09
10	22 01	☽ ☌ ♃	5 19
12	14 53	☽ ☍ ♀	4 35
13	22 27	☽ ☍ ☉	4 31
14	03 48	☽ ☌ ♂	0 13
14	11 53	☽ ☍ ♄	0 58
16	02 39	☉ ☍ ♂	4 13
17	21 46	☽ ☍ ♀	1 16
17	23 43	☽ ☍ ♄	0 43
18	22 48	☽ ☍ ♆	1 03
19	01 26	♀ ☌ ♄	2 01
21	12 29	☉ ☌ ♄	3 13
23	15 13	☽ ☍ ♅	4 15
23	20 49	☿ ☌ ♂	2 45
25	02 45	☽ ☍ ♃	5 20
28	04 52	☽ ☍ ♂	0 24
28	21 45	☽ ☌ ☿	2 23
28	22 56	☽ ☌ ♄	0 56
29	07 52	☿ ☌ ♄	1 24
29	12 36	☽ ☌ ☉	3 42

FEBRUARY

Day	h m	Aspect	° '
1	04 09	☽ ☌ ♄	0 53
1	16 33	♀ ☌ ♆	3 02
1	21 49	☽ ☌ ♆	1 09
1	22 06	☽ ☌ ♀	1 54
5	19 10	☽ ☌ ♅	4 20
7	02 16	☽ ☌ ♃	5 22
9	12 08	☉ ☌ ♅	1 56
9	19 48	☽ ☌ ♂	0 46
10	21 21	☽ ☍ ♄	0 55
12	13 53	☽ ☍ ☿	2 43
12	19 12	☽ ☍ ♀	0 42
14	13 53	☽ ☍ ♄	1 02
15	08 35	☽ ☍ ♆	1 14
16	02 19	☽ ☍ ♀	3 14
19	23 47	☽ ☍ ♅	4 26
21	12 09	☽ ☍ ♃	5 25
24	06 32	☽ ☍ ♂	1 15
25	10 33	☽ ☌ ♄	0 54
25	12 02	☿ ☌ ♄	1 20
28	00 45	☽ ☌ ☉	1 29
28	18 42	☽ ☌ ♄	1 11

MARCH

Day	h m	Aspect	° '
1	04 19	☽ ☌ ♀	0 19
1	08 05	☽ ☌ ♆	1 17
2	03 25	☽ ☌ ♀	5 13
2	16 22	☿ ☌ ♅	1 42
5	01 56	☽ ☌ ♅	4 29
6	10 17	☽ ☌ ♃	5 27
9	00 52	☽ ☌ ♀	1 38
10	04 48	☽ ☍ ♄	0 53
11	22 55	☿ ☌ ♀	5 07
12	10 29	☉ ☌ ♅	1 46
14	03 40	☽ ☌ ♄	1 20
14	06 55	☽ ☍ ☉	0 18
14	17 47	☽ ☍ ♆	1 20
15	09 24	☽ ☍ ♀	6 57
15	14 12	☽ ☍ ☿	1 57
19	08 38	☽ ☍ ♅	4 31
19	23 25	☉ ☌ ♆	1 09
21	01 01	☽ ☍ ♃	5 27
23	01 07	☉ ☌ ♀	7 43
23	23 23	☽ ☌ ♂	1 57
24	19 48	☉ ☌ ☿	2 55
24	21 34	☽ ☌ ♄	0 50
27	13 13	♀ ☌ ♆	8 27
28	11 04	☽ ☌ ♄	1 29
28	19 17	☽ ☌ ♀	6 59
28	20 30	☽ ☌ ♆	1 22
28	22 02	☽ ☌ ♀	1 54
29	10 58	☽ ☌ ☿	0 59
30	02 47	☿ ☌ ♆	3 05

APRIL

Day	h m	Aspect	° '
1	11 56	☽ ☌ ♅	4 31
2	23 25	☽ ☌ ♃	5 27
5	09 25	☽ ☌ ♂	2 05
6	11 19	☽ ☍ ♄	0 46
7	11 01	♀ ☌ ♄	7 12
9	13 34	☽ ☍ ♀	5 00
10	16 26	☽ ☍ ♄	1 39
10	19 49	☽ ☍ ♆	0 46
12	00 22	☽ ☍ ☉	2 08
15	17 31	☽ ☍ ♅	4 31
17	04 11	☿ ☌ ♀	0 38
17	16 11	☽ ☍ ♃	5 24
21	01 35	☽ ☍ ♂	2 03
21	06 20	☽ ☌ ♂	0 38
25	00 02	♀ ☌ ♄	3 48
25	02 54	☽ ☌ ♄	1 51
25	02 57	☽ ☌ ♀	1 55
25	08 53	☽ ☌ ♆	1 30
25	22 04	☽ ☌ ☿	3 34
27	01 05	♂ ☌ ♄	1 25
29	00 33	☽ ☌ ♅	4 32
30	16 58	☽ ☌ ♃	5 21

MAY

Day	h m	Aspect	° '
2	17 07	♀ ☌ ♆	1 56
3	18 25	☽ ☍ ♄	0 32
4	00 13	☽ ☌ ♂	1 55
8	04 11	☽ ☍ ♀	2 02
8	09 45	☽ ☍ ♆	1 35
8	17 22	☽ ☍ ♀	0 46
10	21 15	☽ ☍ ♀	4 56
12	16 56	☽ ☍ ☉	4 05
13	02 35	☽ ☍ ♅	4 32
15	08 54	☽ ☍ ♃	5 16
17	23 32	☉ ☌ ♅	0 12
18	12 34	☽ ☌ ♀	0 22
19	08 23	☽ ☍ ♂	1 35
22	16 06	☽ ☌ ♄	2 17
22	19 15	☽ ☌ ♆	1 43
23	21 13	☽ ☌ ♀	3 17
24	23 15	☿ ☌ ♀	0 07
26	13 52	☽ ☌ ♅	4 35
26	20 05	☽ ☌ ♀	4 33
27	03 02	☽ ☌ ☉	4 42
28	13 01	☽ ☌ ♃	5 12
30	04 13	☉ ☌ ☿	0 34

JUNE

Day	h m	Aspect	° '
31 May	02 43	☽ ☍ ♇	0 15
1	10 41	☽ ☌ ♂	1 13
4	15 04	☽ ☍ ♄	2 30
4	17 30	☽ ☍ ♆	1 50
7	04 22	☽ ☍ ♀	5 07
8	20 12	♀ ☌ ♃	1 58
9	12 06	☽ ☍ ♅	4 38
11	07 44	☽ ☍ ☉	4 59
12	02 54	☽ ☍ ♃	5 07
13	12 50	☽ ☍ ♇	2 50
14	17 27	☽ ☌ ♄	0 07
16	17 31	☽ ☌ ♂	0 41
19	01 38	☽ ☌ ♄	2 45
19	02 46	☽ ☌ ♆	2 00
22	05 02	☽ ☌ ♀	6 30
23	01 50	☽ ☌ ♀	4 43
24	15 17	☉ ☌ ♃	0 08
25	09 33	☽ ☌ ♃	5 03
27	07 13	☽ ☌ ♀	2 41
27	11 39	☽ ☍ ♄	0 02
29	07 57	♀ ☌ ♂	2 47
30	01 14	☽ ☌ ♂	0 10

JULY

Day	h m	Aspect	° '
2	00 54	☽ ☍ ♄	2 56
2	01 34	☽ ☍ ♆	2 07
4	12 45	♀ ☌ ♅	2 18
6	22 04	☽ ☍ ♅	4 49
7	03 37	☽ ☍ ♀	7 10
9	21 59	☽ ☍ ♃	4 57
10	20 37	☽ ☍ ☉	4 24
11	22 42	☽ ☌ ♄	0 01
12	19 45	☽ ☍ ♀	4 39
15	04 16	☽ ☍ ♂	0 28
16	07 53	☽ ☌ ♄	3 06
18	15 13	☽ ☌ ♆	2 14
20	11 16	☽ ☌ ♅	4 56
21	18 23	☽ ☌ ♀	7 05
24	19 11	☽ ☌ ☉	3 39
24	19 59	☽ ☍ ♀	0 02
25	06 33	☉ ☍ ♇	3 39
26	14 58	☽ ☌ ☿	7 18
28	18 43	☽ ☌ ♂	1 03
29	09 04	☽ ☍ ♄	3 13
29	09 39	☽ ☍ ♆	2 18
31	23 41	☉ ☌ ☿	4 46

AUGUST

Day	h m	Aspect	° '
3	07 59	☽ ☍ ♅	5 01
6	06 38	☽ ☍ ♀	6 09
6	17 40	☽ ☍ ♃	4 47
8	05 26	☽ ☌ ♄	0 01
8	09 52	☽ ☌ ☿	7 15
9	02 52	♂ ☌ ♀	1 44
9	07 55	☽ ☍ ☉	2 36
9	22 13	☿ ☌ ♀	0 47
12	05 30	♀ ☌ ♃	0 51
12	12 34	☽ ☌ ♄	3 17
12	16 38	☽ ☍ ♂	1 41
16	18 11	☽ ☌ ♅	5 06
19	22 02	☽ ☌ ♃	4 41
20	12 27	☽ ☌ ♀	4 41
21	02 47	☽ ☍ ♇	0 01
21	18 13	☽ ☌ ☉	3 20
23	06 07	☽ ☌ ☿	1 31
25	15 00	☽ ☍ ♄	3 17
25	17 04	☽ ☍ ♆	2 21
26	14 26	☽ ☌ ♂	2 16
27	05 54	♀ ☌ ♇	3 48
30	16 59	☽ ☍ ♅	5 09

SEPTEMBER

Day	h m	Aspect	° '
3	12 50	☽ ☍ ♃	4 34
4	13 40	☽ ☍ ♇	0 03
5	09 49	☽ ☍ ♀	2 37
7	07 41	☽ ☍ ♀	0 53
7	18 09	☽ ☍ ☉	0 15
8	17 44	☽ ☌ ♄	3 14
8	20 33	☽ ☌ ♆	2 20
10	06 54	☽ ☌ ♂	2 51
13	00 03	☽ ☌ ♅	5 09
13	10 52	☉ ☌ ♀	1 29
16	12 18	☽ ☌ ♃	4 26
17	08 05	☽ ☍ ♇	0 04
17	17 47	☽ ☍ ♀	1 06
18	22 01	☿ ☌ ♆	0 10
19	12 21	☽ ☌ ♀	0 41
21	05 46	☉ ☍ ♇	2 18
21	18 42	☽ ☍ ♄	3 09
22	11 36	☽ ☍ ☿	2 21
23	11 56	☉ ☍ ♀	1 16
23	12 53	☽ ☌ ♂	3 22
27	00 13	☽ ☍ ♃	5 08

OCTOBER

Day	h m	Aspect	° '
1	05 40	☽ ☍ ♃	4 16
1	22 29	☽ ☌ ♇	0 03
5	11 34	☽ ☍ ♀	1 23
6	00 30	☽ ☌ ♄	3 04
6	05 28	☽ ☌ ♆	2 16
7	03 48	☽ ☍ ♀	2 07
8	09 15	☽ ☌ ♀	2 30
8	23 16	☽ ☍ ♂	3 49
10	06 48	☽ ☌ ♅	5 05
11	11 11	♀ ☌ ♅	0 57
13	23 49	☽ ☌ ♃	4 07
14	01 16	♀ ☌ ☿	0 07
14	13 14	☽ ☍ ♇	0 00
18	21 10	☽ ☍ ♄	3 00
19	04 11	☽ ☍ ♆	2 15
19	18 26	☽ ☌ ♀	2 59
20	06 52	☿ ☌ ♂	1 54
21	12 25	☽ ☌ ☉	3 08
23	10 55	☽ ☌ ♀	4 09
23	14 57	☽ ☌ ☿	2 05
25	12 50	☽ ☍ ♃	5 00
28	17 57	☽ ☍ ♃	3 55
29	06 39	☽ ☌ ♇	0 06
29	19 36	♀ ☌ ♅	3 00

NOVEMBER

Day	h m	Aspect	° '
2	08 31	☽ ☌ ♄	2 58
2	15 15	☽ ☌ ♆	2 17
4	11 21	☽ ☍ ♀	4 23
4	17 30	♂ ☌ ♅	0 37

Note: The Distances Apart are in Declination

5	13 19	☽☍☉	4 03	20	07 15	☽☌☿	5 10		DECEMBER			17	13 25	☽☍♅	4 55
6	15 26	☽☌♅	4 57	20	09 23	☉☌☿	0 32					18	10 02	☽☌☿	6 01
6	17 49	☽☍♂	4 21	20	09 24	☽☍♅	4 54	3	14 07	☽☍☿	6 59	19	16 19	☽☌♀	4 52
7	01 19	☽☍☿	4 17	21	11 13	☽☌♂	4 22	4	01 07	☽☌♅	4 54	20	01 43	☽☌☉	4 48
10	09 09	☽☍♃	3 47	21	12 25	☉☍♅	0 12	4	09 49	☽☍♀	5 25	20	12 42	☽☌♂	3 49
10	20 16	☽☍♇	0 11	25	00 12	☽☍♃	3 37	4	23 14	☽☍☉	4 57	22	01 26	☽☍♃	3 32
12	23 15	☿☌♂	1 13	25	01 52	☿☌♀	0 57	5	14 23	☽☍♂	4 14	22	20 37	☽☌♇	0 35
15	00 30	☽☍♄	2 58	25	13 45	☽☍♇	0 21	7	16 51	☽☌♃	3 34	27	00 41	☽☌♄	3 16
15	08 50	☽☍♆	2 20	29	16 42	☽☌♄	3 03	8	06 17	☽☍♇	0 27	27	07 03	☽☌♆	2 41
19	04 49	☽☌♀	5 11	30	02 48	☽☍♆	2 27	10	19 59	☿☌♅	1 47	31	09 56	☽☌♅	5 00
19	11 45	☿☌♅	0 02			♀☍♅	0 31	12	07 00	☽☍♄	3 07				
20	06 47	☽☌☉	4 39					12	14 51	☽☍♆	2 32				

PHENOMENA IN 2025

d	h	JANUARY	d	h	MAY	d	h	SEPTEMBER
4	14	⊕in perihelion	1	06	☽Max Dec.28°N35'	1	22	☽Max Dec.28°S38'
5	19	☽Zero Dec.	8	06	☽Zero Dec.	7	18	◐Total eclipse
8	00	☽in Perigee	8	09	♀☊	8	15	☽Zero Dec.
9	05	☿☋	11	01	☽in Apogee	10	12	☽in Perigee
10	05	♀Gt.Elong. 47° E	15	18	☽Max Dec.28°S29'	14	21	☽Max Dec.28°N38'
12	04	☽Max Dec.28°N28'	22	15	☽Zero Dec.	19	20	♃☊
16	20	♀☊	26	01	☽in Perigee	21	18	☽Zero Dec.
19	03	☽Zero Dec.	26	21	☿☊	21	20	●Partial eclipse
19	14	☿in aphelion	28	16	☽Max Dec.28°N27'	22	18	☉→♎ Equinox
21	05	☽in Apogee	31	13	☿in perihelion	23	15	♂☊
26	13	☽Max Dec.28°S33'			JUNE	26	10	☽in Apogee
		FEBRUARY	1	03	♀Gt.Elong. 46° W	29	06	☽Max Dec.28°S36'
2	01	☽Zero Dec.	4	12	☽Zero Dec.	30	03	☿☊
2	03	☽in Perigee	7	11	☽in Apogee			OCTOBER
8	11	☽Max Dec.28°N36'	12	00	☽Max Dec.28°S24'	2	09	♀in perihelion
15	11	☽Zero Dec.	12	03	♀in aphelion	6	01	☽Zero Dec.
18	01	☽in Apogee	18	21	☽Zero Dec.	8	13	☽in Perigee
19	20	♀in perihelion	21	03	☉→♋ Soltice	10	12	☿in aphelion
22	22	☽Max Dec.28°S41'	23	05	☽in Perigee	12	03	☽Max Dec.28°N33'
27	22	☿☊	25	02	☽Max Dec.28°N24'	19	00	☽Zero Dec.
		MARCH			JULY	24	00	☽in Apogee
1	09	☽Zero Dec.	1	18	☽Zero Dec.	26	13	☽Max Dec.28°S28'
1	21	☽in Perigee	3	20	⊕in aphelion	29	22	☿Gt.Elong. 24° E
4	14	☿in perihelion	4	04	☿☊			NOVEMBER
7	16	☽Max Dec.28°N43'	4	05	☿Gt.Elong. 26° E	2	12	☽Zero Dec.
8	06	☿Gt.Elong. 18° E	5	02	☽in Apogee	5	23	☽in Perigee
14	07	◐Total eclipse	9	06	☽Max Dec.28°S26'	8	12	☽Max Dec.28°N23'
14	18	☽Zero Dec.	14	13	☿in aphelion	15	05	☽Zero Dec.
17	16	☽in Apogee	16	02	☽Zero Dec.	18	19	☿☊
20	09	☉→♈ Equinox	20	14	☽in Perigee	20	03	☽in Apogee
22	07	☽Max Dec.28°S44'	22	10	☽Max Dec.28°N29'	22	18	☽Max Dec.28°S18'
28	20	☽Zero Dec.	29	02	☽Zero Dec.	23	11	☿in perihelion
29	11	●Partial eclipse			AUGUST	29	21	☽Zero Dec.
30	05	☽in Perigee	1	21	☽in Apogee			DECEMBER
		APRIL	5	14	☽Max Dec.28°S32'	4	11	☽in Perigee
3	22	☽Max Dec.28°N42'	12	07	☽Zero Dec.	5	22	☽Max Dec.28°N16'
7	04	☿☊	14	18	☽in Perigee	7	21	☿Gt.Elong. 21° W
11	00	☽Zero Dec.	18	16	☽Max Dec.28°N35'	11	11	☽Zero Dec.
13	23	☽in Apogee	19	10	☿Gt.Elong. 19° W	17	06	☽in Apogee
17	13	☿in aphelion	22	20	☿☊	19	02	♀☊
18	13	☽Max Dec.28°S38'	25	10	☽Zero Dec.	19	23	☽Max Dec.28°S14'
21	19	☿Gt.Elong. 27° W	27	12	☿in perihelion	21	15	☉→♑ Soltice
25	07	☽Zero Dec.	29	13	♀☊	27	02	☽Zero Dec.
27	16	☽in Perigee	29	16	☽in Apogee	27	02	☿☊

LOCAL MEAN TIME OF SUNRISE FOR LATITUDES
60° North to 50° South
FOR ALL SUNDAYS IN 2025 (ALL TIMES ARE A.M.)

Date	Northern Latitudes									Southern Latitudes				
	LON-DON	60°	55°	50°	40°	30°	20°	10°	0°	10°	20°	30°	40°	50°
2024	h m	h m	h m	h m	h m	h m	h m	h m	h m	h m	h m	h m	h m	h m
Dec 29	8 5	9 3	8 25	7 58	7 21	6 55	6 34	6 15	5 58	5 41	5 22	5 0	4 32	3 53
2025														
Jan 5	8 4	8 59	8 23	7 57	7 22	6 56	6 36	6 19	6 1	5 45	5 26	5 5	4 39	3 59
12	8 1	8 51	8 18	7 54	7 20	6 56	6 37	6 21	6 4	5 48	5 31	5 11	4 45	4 9
19	7 55	8 40	8 11	7 49	7 18	6 56	6 37	6 22	6 7	5 52	5 36	5 17	4 53	4 19
26	7 46	8 26	8 1	7 41	7 13	6 53	6 36	6 22	6 9	5 55	5 40	5 23	5 2	4 31
Feb 2	7 36	8 11	7 49	7 31	7 7	6 49	6 35	6 22	6 10	5 58	5 45	5 29	5 10	4 43
9	7 24	7 53	7 34	7 20	6 59	6 45	6 32	6 21	6 11	6 0	5 48	5 36	5 19	4 56
16	7 11	7 34	7 19	7 8	6 51	6 38	6 28	6 19	6 11	6 1	5 52	5 41	5 27	5 8
23	6 57	7 15	7 4	6 55	6 42	6 32	6 23	6 16	6 10	6 2	5 55	5 47	5 36	5 20
Mar 2	6 43	6 55	6 47	6 41	6 32	6 24	6 19	6 13	6 9	6 3	5 58	5 51	5 43	5 33
9	6 27	6 34	6 30	6 26	6 21	6 16	6 13	6 10	6 7	6 4	6 0	5 56	5 51	5 44
16	6 11	6 13	6 12	6 11	6 10	6 9	6 7	6 6	6 5	6 4	6 2	6 0	5 59	5 56
23	5 55	5 52	5 54	5 56	5 58	6 0	6 1	6 2	6 3	6 3	6 4	6 5	6 6	6 7
30	5 39	5 30	5 36	5 40	5 47	5 51	5 55	5 58	6 1	6 3	6 7	6 10	6 13	6 18
Apr 6	5 24	5 9	5 18	5 26	5 36	5 43	5 49	5 54	5 59	6 3	6 8	6 13	6 20	6 28
13	5 8	4 49	5 1	5 11	5 25	5 35	5 43	5 50	5 57	6 3	6 10	6 18	6 27	6 39
20	4 53	4 28	4 44	4 56	5 14	5 27	5 38	5 47	5 55	6 3	6 12	6 22	6 34	6 50
27	4 39	4 8	4 28	4 43	5 5	5 20	5 33	5 44	5 54	6 4	6 14	6 26	6 41	7 0
May 4	4 26	3 49	4 13	4 30	4 56	5 14	5 29	5 41	5 53	6 4	6 17	6 31	6 48	7 11
11	4 13	3 31	3 59	4 19	4 49	5 9	5 26	5 39	5 52	6 5	6 20	6 35	6 55	7 21
18	4 4	3 15	3 46	4 9	4 42	5 4	5 23	5 38	5 52	6 7	6 22	6 39	7 1	7 30
25	3 55	3 0	3 36	4 1	4 37	5 1	5 20	5 37	5 53	6 9	6 25	6 44	7 7	7 40
Jun 1	3 48	2 48	3 28	3 56	4 33	4 59	5 19	5 37	5 54	6 11	6 27	6 47	7 12	7 47
8	3 44	2 40	3 22	3 52	4 31	4 58	5 19	5 38	5 55	6 12	6 31	6 51	7 17	7 53
15	3 42	2 36	3 20	3 50	4 30	4 58	5 20	5 39	5 57	6 14	6 33	6 54	7 20	7 57
22	3 43	2 36	3 21	3 50	4 31	5 0	5 22	5 40	5 58	6 15	6 34	6 56	7 22	8 0
29	3 45	2 40	3 24	3 54	4 34	5 2	5 24	5 42	6 0	6 17	6 35	6 56	7 22	8 0
Jul 6	3 51	2 48	3 30	3 58	4 38	5 4	5 26	5 44	6 1	6 18	6 35	6 56	7 21	7 57
13	3 58	3 0	3 38	4 6	4 42	5 8	5 28	5 46	6 2	6 18	6 35	6 55	7 19	7 53
20	4 7	3 14	3 48	4 13	4 48	5 12	5 31	5 48	6 2	6 18	6 34	6 52	7 15	7 46
27	4 16	3 30	4 0	4 22	4 53	5 16	5 34	5 48	6 3	6 17	6 32	6 48	7 9	7 38
Aug 3	4 27	3 45	4 12	4 32	5 0	5 20	5 36	5 49	6 2	6 15	6 28	6 44	7 3	7 28
10	4 38	4 3	4 26	4 42	5 6	5 25	5 38	5 50	6 1	6 13	6 24	6 38	6 54	7 17
17	4 49	4 19	4 39	4 52	5 14	5 28	5 40	5 51	6 0	6 10	6 20	6 32	6 45	7 4
24	5 0	4 36	4 52	5 3	5 20	5 33	5 42	5 51	5 59	6 7	6 14	6 24	6 35	6 50
31	5 11	4 52	5 4	5 14	5 26	5 37	5 44	5 50	5 57	6 2	6 9	6 16	6 24	6 36
Sep 7	5 22	5 9	5 17	5 24	5 34	5 40	5 46	5 50	5 54	5 59	6 3	6 8	6 13	6 21
14	5 34	5 26	5 30	5 35	5 40	5 44	5 47	5 49	5 52	5 54	5 57	5 59	6 2	6 6
21	5 45	5 42	5 43	5 45	5 47	5 48	5 48	5 49	5 49	5 50	5 50	5 50	5 50	5 50
28	5 56	5 59	5 57	5 56	5 53	5 51	5 50	5 48	5 47	5 46	5 44	5 41	5 39	5 35
Oct 5	6 8	6 15	6 10	6 6	6 0	5 56	5 51	5 48	5 45	5 41	5 37	5 33	5 27	5 20
12	6 19	6 32	6 23	6 17	6 7	6 0	5 53	5 48	5 43	5 37	5 31	5 25	5 16	5 5
19	6 31	6 49	6 37	6 28	6 14	6 4	5 56	5 48	5 41	5 34	5 26	5 17	5 6	4 51
26	6 43	7 7	6 52	6 40	6 22	6 10	5 59	5 49	5 40	5 31	5 22	5 11	4 56	4 37
Nov 2	6 56	7 25	7 6	6 52	6 30	6 14	6 2	5 50	5 40	5 29	5 17	5 4	4 48	4 24
9	7 8	7 43	7 20	7 3	6 38	6 20	6 5	5 52	5 40	5 27	5 14	4 59	4 40	4 12
16	7 20	8 1	7 34	7 15	6 46	6 25	6 9	5 54	5 41	5 27	5 13	4 55	4 33	4 3
23	7 31	8 17	7 48	7 26	6 54	6 32	6 13	5 58	5 42	5 27	5 11	4 52	4 29	3 55
30	7 42	8 33	8 0	7 35	7 1	6 37	6 18	6 1	5 45	5 28	5 12	4 51	4 26	3 49
Dec 7	7 51	8 46	8 10	7 44	7 8	6 43	6 22	6 4	5 48	5 30	5 13	4 51	4 24	3 45
14	7 58	8 56	8 18	7 51	7 14	6 47	6 26	6 8	5 50	5 34	5 14	4 52	4 25	3 45
21	8 3	9 2	8 23	7 55	7 18	6 52	6 30	6 11	5 54	5 37	5 17	4 55	4 28	3 46
28	8 5	9 3	8 25	7 58	7 21	6 55	6 33	6 15	5 58	5 40	5 22	5 0	4 31	3 52
2026														
Jan 4	8 5	9 0	8 24	7 58	7 22	6 56	6 36	6 18	6 1	5 44	5 26	5 4	4 37	3 58

LOCAL MEAN TIME OF SUNSET FOR LATITUDES
60° North to 50° South
FOR ALL SUNDAYS IN 2025 (ALL TIMES ARE P.M.)

Date	LON-DON	Northern Latitudes								Southern Latitudes				
		60°	55°	50°	40°	30°	20°	10°	0°	10°	20°	30°	40°	50°
	h m	h m	h m	h m	h m	h m	h m	h m	h m	h m	h m	h m	h m	h m
2024 Dec 29	3 58	3 1	3 39	4 6	4 43	5 9	5 30	5 48	6 5	6 23	6 42	7 4	7 31	8 12
2025 Jan 5	4 6	3 11	3 47	4 13	4 49	5 14	5 35	5 52	6 9	6 26	6 44	7 5	7 32	8 11
12	4 16	3 25	3 58	4 22	4 56	5 20	5 39	5 56	6 12	6 28	6 45	7 5	7 30	8 6
19	4 27	3 42	4 11	4 33	5 3	5 26	5 43	6 0	6 14	6 29	6 45	7 4	7 28	8 1
26	4 39	3 59	4 25	4 44	5 12	5 32	5 48	6 2	6 16	6 30	6 44	7 1	7 22	7 52
Feb 2	4 52	4 17	4 40	4 56	5 20	5 38	5 52	6 5	6 17	6 29	6 42	6 57	7 16	7 42
9	5 4	4 35	4 54	5 8	5 28	5 44	5 56	6 7	6 18	6 28	6 39	6 52	7 8	7 31
16	5 17	4 54	5 9	5 20	5 37	5 49	6 0	6 9	6 17	6 26	6 35	6 46	6 59	7 18
23	5 29	5 12	5 24	5 32	5 45	5 54	6 2	6 10	6 16	6 23	6 31	6 39	6 50	7 5
Mar 2	5 42	5 30	5 38	5 44	5 53	6 0	6 5	6 11	6 15	6 20	6 25	6 32	6 39	6 50
9	5 54	5 48	5 52	5 56	6 0	6 4	6 8	6 11	6 13	6 16	6 20	6 23	6 28	6 35
16	6 7	6 5	6 6	6 7	6 8	6 9	6 10	6 11	6 11	6 12	6 14	6 15	6 18	6 20
23	6 18	6 22	6 20	6 18	6 15	6 13	6 11	6 11	6 10	6 9	6 8	6 7	6 6	6 5
30	6 30	6 39	6 33	6 29	6 22	6 18	6 13	6 11	6 8	6 4	6 1	5 59	5 54	5 50
Apr 6	6 42	6 56	6 47	6 40	6 29	6 22	6 15	6 10	6 5	6 0	5 56	5 50	5 43	5 35
13	6 54	7 13	7 0	6 50	6 36	6 26	6 18	6 10	6 3	5 57	5 50	5 42	5 33	5 20
20	7 5	7 31	7 14	7 1	6 44	6 30	6 20	6 11	6 2	5 53	5 45	5 35	5 23	5 6
27	7 17	7 48	7 28	7 12	6 50	6 34	6 22	6 11	6 0	5 50	5 40	5 28	5 14	4 53
May 4	7 29	8 5	7 41	7 23	6 57	6 39	6 24	6 12	6 0	5 48	5 36	5 22	5 5	4 41
11	7 40	8 23	7 54	7 34	7 5	6 44	6 27	6 13	6 0	5 47	5 33	5 17	4 57	4 30
18	7 50	8 39	8 7	7 43	7 11	6 48	6 30	6 14	6 0	5 46	5 30	5 13	4 51	4 21
25	8 0	8 54	8 18	7 52	7 18	6 53	6 33	6 16	6 0	5 45	5 28	5 9	4 46	4 13
Jun 1	8 8	9 8	8 28	8 1	7 22	6 56	6 35	6 18	6 1	5 45	5 27	5 7	4 42	4 8
8	8 15	9 19	8 36	8 6	7 27	7 0	6 38	6 20	6 2	5 46	5 27	5 6	4 41	4 5
15	8 19	9 25	8 40	8 11	7 30	7 3	6 41	6 22	6 4	5 47	5 28	5 7	4 41	4 3
22	8 21	9 28	8 43	8 13	7 32	7 4	6 42	6 23	6 5	5 48	5 29	5 8	4 41	4 4
29	8 21	9 26	8 42	8 13	7 32	7 5	6 43	6 24	6 7	5 49	5 31	5 11	4 44	4 7
Jul 6	8 18	9 20	8 38	8 10	7 31	7 5	6 44	6 25	6 9	5 51	5 34	5 14	4 48	4 12
13	8 13	9 10	8 32	8 5	7 29	7 3	6 43	6 25	6 9	5 53	5 36	5 16	4 52	4 18
20	8 5	8 57	8 23	7 58	7 24	7 0	6 42	6 25	6 10	5 54	5 38	5 20	4 58	4 27
27	7 55	8 41	8 12	7 50	7 18	6 56	6 39	6 24	6 10	5 56	5 41	5 25	5 4	4 35
Aug 3	7 44	8 25	7 58	7 39	7 11	6 52	6 35	6 22	6 10	5 57	5 43	5 28	5 10	4 44
10	7 31	8 6	7 43	7 27	7 3	6 45	6 32	6 20	6 9	5 58	5 46	5 33	5 16	4 54
17	7 18	7 46	7 28	7 14	6 54	6 38	6 27	6 16	6 7	5 58	5 48	5 37	5 23	5 4
24	7 3	7 27	7 11	7 0	6 44	6 32	6 22	6 13	6 5	5 58	5 49	5 40	5 29	5 14
31	6 48	7 6	6 55	6 45	6 33	6 23	6 16	6 10	6 3	5 58	5 51	5 45	5 36	5 25
Sep 7	6 32	6 45	6 36	6 31	6 22	6 15	6 10	6 5	6 1	5 57	5 53	5 48	5 42	5 35
14	6 16	6 23	6 19	6 15	6 10	6 6	6 3	6 0	5 59	5 57	5 54	5 52	5 49	5 46
21	6 0	6 2	6 0	6 0	5 59	5 58	5 57	5 57	5 56	5 56	5 56	5 56	5 56	5 56
28	5 44	5 41	5 43	5 45	5 47	5 48	5 50	5 52	5 53	5 56	5 57	6 0	6 2	6 7
Oct 5	5 28	5 19	5 25	5 29	5 36	5 40	5 44	5 48	5 51	5 55	5 59	6 3	6 10	6 18
12	5 13	4 59	5 7	5 14	5 25	5 32	5 38	5 44	5 49	5 55	6 1	6 8	6 16	6 28
19	4 57	4 39	4 51	5 1	5 14	5 25	5 33	5 41	5 48	5 56	6 3	6 12	6 24	6 40
26	4 43	4 19	4 35	4 47	5 4	5 18	5 28	5 38	5 47	5 57	6 6	6 18	6 32	6 52
Nov 2	4 30	4 0	4 20	4 34	4 56	5 12	5 25	5 36	5 47	5 58	6 10	6 23	6 40	7 4
9	4 19	3 44	4 7	4 23	4 49	5 7	5 22	5 35	5 47	6 0	6 13	6 28	6 48	7 16
16	4 8	3 27	3 55	4 14	4 42	5 3	5 19	5 35	5 48	6 2	6 17	6 34	6 56	7 27
23	4 0	3 14	3 45	4 7	4 38	5 1	5 19	5 35	5 50	6 5	6 22	6 41	7 5	7 39
30	3 55	3 3	3 37	4 1	4 35	5 0	5 19	5 36	5 52	6 9	6 26	6 46	7 12	7 49
Dec 7	3 51	2 56	3 33	3 58	4 34	5 0	5 20	5 38	5 55	6 12	6 31	6 52	7 18	7 57
14	3 50	2 53	3 31	3 58	4 35	5 2	5 23	5 41	5 58	6 15	6 34	6 56	7 24	8 4
21	3 53	2 54	3 33	4 0	4 38	5 4	5 26	5 44	6 1	6 20	6 38	7 0	7 29	8 9
28	3 57	3 0	3 38	4 5	4 42	5 8	5 29	5 48	6 5	6 22	6 42	7 4	7 31	8 12
2026 Jan 4	4 5	3 10	3 46	4 12	4 48	5 14	5 34	5 51	6 9	6 25	6 44	7 5	7 32	8 11

Table 1

Sidereal Time	10	11	12	Ascen		2	3
H. M. S.	♈°	♉°	♊°	♋ °	'	♌°	♍°
0 0 0	0	9	22	26	36	13	3
0 3 40	1	10	23	27	16	13	3
0 7 20	2	11	24	27	56	14	4
0 11 1	3	12	25	28	36	15	5
0 14 41	4	13	26	29	16	15	6
0 18 21	5	14	27	29	56	16	7
0 22 2	6	15	28	0♌	36	17	8
0 25 43	7	16	29	1	16	18	8
0 29 23	8	17	29	1	56	18	9
0 33 4	9	18	♋	2	35	19	10
0 36 45	10	19	1	3	15	20	11
0 40 27	11	21	2	3	55	21	12
0 44 8	12	22	3	4	34	21	13
0 47 50	13	23	4	5	14	22	13
0 51 32	14	24	4	5	53	23	14
0 55 15	15	25	5	6	33	23	15
0 58 58	16	26	6	7	12	24	16
1 2 41	17	27	7	7	52	25	17
1 6 24	18	28	8	8	31	26	18
1 10 8	19	29	9	9	11	26	19
1 13 52	20	♊	9	9	50	27	19
1 17 36	21	1	10	10	30	28	20
1 21 21	22	2	11	11	9	29	21
1 25 7	23	3	12	11	49	29	22
1 28 53	24	4	12	12	29	♍	23
1 32 39	25	5	13	13	8	1	24
1 36 26	26	6	14	13	48	1	25
1 40 13	27	7	15	14	28	2	25
1 44 1	28	8	16	15	8	3	26
1 47 50	29	9	16	15	48	4	27
1 51 39	30	10	17	16	28	4	28

Table 2

Sidereal Time	10	11	12	Ascen		2	3
H. M. S.	♉°	♊°	♋°	♌ °	'	♍°	♍°
1 51 39	0	10	17	16	28	4	28
1 55 28	1	11	18	17	8	5	29
1 59 18	2	12	19	17	48	6	≏
2 3 9	3	13	20	18	29	7	1
2 7 0	4	14	20	19	9	8	2
2 10 52	5	15	21	19	50	8	3
2 14 45	6	15	22	20	30	9	3
2 18 38	7	16	23	21	11	10	4
2 22 32	8	17	23	21	52	11	5
2 26 27	9	18	24	22	33	11	6
2 30 22	10	19	25	23	14	12	7
2 34 18	11	20	26	23	55	13	8
2 38 15	12	21	27	24	36	14	9
2 42 12	13	22	27	25	18	14	10
2 46 10	14	23	28	25	59	15	11
2 50 9	15	24	29	26	41	16	12
2 54 8	16	25	♌	27	23	17	12
2 58 8	17	26	1	28	4	18	13
3 2 9	18	27	2	28	47	18	14
3 6 11	19	28	2	29	29	19	15
3 10 13	20	29	3	0♍	11	20	16
3 14 16	21	♋	4	0	53	21	17
3 18 20	22	1	5	1	36	22	18
3 22 25	23	1	5	2	19	22	19
3 26 30	24	2	6	3	2	23	20
3 30 36	25	3	7	3	45	24	21
3 34 43	26	4	8	4	28	25	22
3 38 50	27	5	9	5	11	26	23
3 42 58	28	6	9	5	55	27	24
3 47 7	29	7	10	6	38	27	25
3 51 17	30	8	11	7	22	28	25

Table 3

Sidereal Time	10	11	12	Ascen		2	3
H. M. S.	♊°	♋°	♌°	♍ °	'	♍°	≏°
3 51 17	0	8	11	7	22	28	25
3 55 27	1	9	12	8	6	29	26
3 59 38	2	10	13	8	50	≏	27
4 3 49	3	11	13	9	34	1	28
4 8 1	4	12	14	10	18	2	29
4 12 14	5	13	15	11	2	2	♏
4 16 27	6	14	16	11	47	3	1
4 20 41	7	14	17	12	31	4	2
4 24 56	8	15	17	13	16	5	3
4 29 11	9	16	18	14	1	6	4
4 33 27	10	17	19	14	46	7	5
4 37 43	11	18	20	15	31	8	6
4 42 0	12	19	21	16	16	8	7
4 46 17	13	20	22	17	1	9	8
4 50 35	14	21	22	17	46	10	9
4 54 53	15	22	23	18	32	11	10
4 59 11	16	23	24	19	17	12	11
5 3 30	17	24	25	20	3	13	12
5 7 50	18	25	26	20	48	14	13
5 12 9	19	26	27	21	34	14	13
5 16 29	20	27	28	22	20	15	14
5 20 49	21	28	28	23	6	16	15
5 25 10	22	29	29	23	52	17	16
5 29 31	23	29	♍	24	39	18	17
5 33 52	24	♌	1	25	24	19	18
5 38 13	25	1	2	26	10	20	19
5 42 34	26	2	3	26	56	20	20
5 46 55	27	3	4	27	42	21	21
5 51 17	28	4	4	28	28	22	22
5 55 38	29	5	5	29	14	23	23
6 0 0	30	6	6	0≏	0	24	24

Table 4

Sidereal Time	10	11	12	Ascen		2	3
H. M. S.	♋°	♌°	♍°	≏ °	'	≏°	♏°
6 0 0	0	6	6	0	0	24	24
6 4 22	1	7	7	0	46	25	25
6 8 43	2	8	8	1	32	26	26
6 13 5	3	9	9	2	18	26	27
6 17 26	4	10	10	3	4	27	28
6 21 47	5	11	10	3	50	28	29
6 26 8	6	12	11	4	36	29	♐
6 30 29	7	13	12	5	22	♏	1
6 34 50	8	14	13	6	8	1	1
6 39 11	9	15	14	6	54	2	2
6 43 31	10	16	15	7	40	2	3
6 47 51	11	17	16	8	26	3	4
6 52 10	12	18	17	9	12	4	5
6 56 30	13	18	17	9	57	5	6
7 0 49	14	19	18	10	43	6	7
7 5 7	15	20	19	11	28	7	8
7 9 25	16	21	20	12	14	8	9
7 13 43	17	22	21	12	59	8	10
7 18 0	18	23	22	13	44	9	11
7 22 17	19	24	22	14	29	10	12
7 26 33	20	25	23	15	14	11	13
7 30 49	21	26	24	15	59	12	14
7 35 4	22	27	25	16	44	13	15
7 39 19	23	28	26	17	29	13	16
7 43 33	24	29	27	18	13	14	16
7 47 46	25	♍	28	18	58	15	17
7 51 59	26	1	28	19	42	16	18
7 56 11	27	2	29	20	26	17	19
8 0 22	28	3	≏	21	10	17	20
8 4 33	29	4	1	21	54	18	21
8 8 43	30	5	2	22	38	19	22

Table 5

Sidereal Time	10	11	12	Ascen		2	3
H. M. S.	♌°	♍°	≏°	≏ °	'	♏°	♐°
8 8 43	0	5	2	22	38	19	22
8 12 53	1	5	3	23	22	20	23
8 17 2	2	6	3	24	5	21	24
8 21 10	3	7	4	24	49	21	25
8 25 17	4	8	5	25	32	22	26
8 29 24	5	9	6	26	15	23	27
8 33 30	6	10	6	26	58	24	28
8 37 35	7	11	7	27	41	25	29
8 41 40	8	12	8	28	24	25	29
8 45 44	9	13	9	29	7	26	♑
8 49 47	10	14	10	29	49	27	1
8 53 49	11	15	11	0♏	31	28	2
8 57 51	12	16	12	1	13	29	3
9 1 52	13	17	12	1	56	29	4
9 5 52	14	18	13	2	37	♐	5
9 9 51	15	18	14	3	19	1	6
9 13 50	16	19	15	4	1	2	7
9 17 48	17	20	16	4	42	3	8
9 21 45	18	21	16	5	24	3	9
9 25 42	19	22	17	6	5	4	10
9 29 38	20	23	18	6	46	5	11
9 33 33	21	24	19	7	27	6	12
9 37 28	22	25	19	8	8	7	13
9 41 22	23	26	20	8	49	7	14
9 45 15	24	27	21	9	30	8	15
9 49 8	25	27	22	10	10	9	15
9 53 0	26	28	22	10	51	10	16
9 56 51	27	29	23	11	31	10	17
10 0 42	28	≏	24	12	12	11	18
10 4 32	29	1	25	12	52	12	19
10 8 21	30	2	26	13	32	13	20

Table 6

Sidereal Time	10	11	12	Ascen		2	3
H. M. S.	♍°	≏°	♏°	♏ °	'	♐°	♑°
10 8 21	0	2	26	13	32	13	20
10 12 10	1	3	26	14	12	14	21
10 15 59	2	4	27	14	52	14	22
10 19 47	3	5	28	15	32	15	23
10 23 34	4	5	29	16	12	16	24
10 27 21	5	6	29	16	52	17	25
10 31 7	6	7	♏	17	31	18	26
10 34 53	7	8	1	18	11	18	27
10 38 39	8	9	1	18	51	19	28
10 42 24	9	10	2	19	30	20	29
10 46 8	10	11	3	20	10	21	♒
10 49 52	11	11	4	20	49	21	1
10 53 36	12	12	4	21	29	22	2
10 57 19	13	13	5	22	8	23	3
11 1 2	14	14	6	22	48	24	4
11 4 45	15	15	7	23	27	25	5
11 8 28	16	16	7	24	7	26	6
11 12 10	17	17	8	24	47	26	7
11 15 52	18	17	9	25	26	27	8
11 19 33	19	18	9	26	6	28	9
11 23 15	20	19	10	26	45	29	11
11 26 56	21	20	11	27	25	♑	12
11 30 37	22	21	12	28	4	1	13
11 34 17	23	22	12	28	44	1	14
11 37 58	24	22	13	29	24	2	15
11 41 39	25	23	14	0♐	4	3	16
11 45 19	26	24	15	0	44	4	17
11 48 59	27	25	15	1	24	5	18
11 52 40	28	26	16	2	4	6	19
11 56 20	29	27	17	2	44	7	20
12 0 0	30	27	17	3	24	8	21

Upper half

Sidereal Time H. M. S.	10 ♎	11 ♎	12 ♏	Ascen ° '	2 ♑	3 ♒
12 0 0	0	27	17	3 24	8	21
12 3 40	1	28	18	4 5	8	22
12 7 20	2	29	19	4 45	9	24
12 11 1	3	♏	20	5 26	10	25
12 14 41	4	1	20	6 7	11	26
12 18 21	5	2	21	6 48	12	27
12 22 2	6	2	22	7 29	13	28
12 25 43	7	3	22	8 11	14	29
12 29 23	8	4	23	8 52	15	♓
12 33 4	9	5	24	9 34	16	2
12 36 45	10	6	25	10 16	17	3
12 40 27	11	6	25	10 58	18	4
12 44 8	12	7	26	11 41	19	5
12 47 50	13	8	27	12 23	20	6
12 51 32	14	9	27	13 6	21	7
12 55 15	15	10	28	13 50	22	9
12 58 58	16	11	29	14 33	23	10
13 2 41	17	11	♐	15 17	24	11
13 6 24	18	12	0	16 1	25	12
13 10 8	19	13	1	16 46	26	13
13 13 52	20	14	2	17 31	28	15
13 17 36	21	15	3	18 16	29	16
13 21 21	22	16	3	19 2	♒	17
13 25 7	23	16	4	19 48	1	18
13 28 53	24	17	5	20 34	2	20
13 32 39	25	18	6	21 21	3	21
13 36 26	26	19	6	22 9	5	22
13 40 13	27	20	7	22 57	6	23
13 44 1	28	20	8	23 45	7	25
13 47 50	29	21	9	24 34	8	26
13 51 39	30	22	9	25 24	10	27

Sidereal Time H. M. S.	10 ♏	11 ♏	12 ♐	Ascen ° '	2 ♒	3 ♓
13 51 39	0	22	9	25 24	10	27
13 55 28	1	23	10	26 14	11	28
13 59 18	2	24	11	27 4	12	♈
14 3 9	3	25	12	27 56	13	1
14 7 0	4	25	13	28 48	15	2
14 10 52	5	26	13	29 41	16	4
14 14 45	6	27	14	0♓34	18	5
14 18 38	7	28	15	1 28	19	6
14 22 32	8	29	16	2 23	20	7
14 26 27	9	♐	17	3 19	22	9
14 30 22	10	1	17	4 16	23	10
14 34 18	11	1	18	5 13	25	11
14 38 15	12	2	19	6 12	26	13
14 42 12	13	3	20	7 11	28	14
14 46 10	14	4	21	8 12	29	15
14 50 9	15	5	22	9 13	♓	17
14 54 8	16	6	22	10 16	2	18
14 58 8	17	7	23	11 20	4	19
15 2 9	18	7	24	12 25	6	21
15 6 11	19	8	25	13 31	7	22
15 10 13	20	9	26	14 39	9	23
15 14 16	21	10	27	15 48	11	24
15 18 20	22	11	28	16 58	12	26
15 22 25	23	12	29	18 11	14	27
15 26 30	24	13	♑	19 24	16	28
15 30 36	25	14	1	20 39	17	♈
15 34 43	26	15	2	21 56	19	1
15 38 50	27	15	2	23 15	21	2
15 42 58	28	16	3	24 36	23	4
15 47 50	29	17	4	25 58	24	5
15 51 17	30	18	5	27 23	26	6

Sidereal Time H. M. S.	10 ♐	11 ♐	12 ♑	Ascen ° '	2 ♓	3 ♈
15 51 17	0	18	5	27 23	26	6
15 55 27	1	19	6	28 50	28	7
15 59 38	2	20	7	0♒19	♈	9
16 3 49	3	21	8	1 50	2	10
16 8 1	4	22	10	3 24	3	11
16 12 14	5	23	11	5 0	5	12
16 16 27	6	24	12	6 39	7	14
16 20 41	7	25	13	8 20	9	15
16 24 56	8	26	14	10 4	11	16
16 29 11	9	27	15	11 51	12	17
16 33 27	10	28	16	13 41	14	19
16 37 43	11	29	17	15 34	16	20
16 42 0	12	♑	18	17 30	18	21
16 46 17	13	1	20	19 28	20	22
16 50 35	14	1	21	21 30	21	23
16 54 53	15	2	22	23 35	23	25
16 59 11	16	3	23	25 43	25	26
17 3 30	17	4	24	27 54	27	27
17 7 50	18	6	26	0♈9	28	28
17 12 9	19	7	27	2 26	♉	29
17 16 29	20	8	28	4 46	2	♊
17 20 49	21	9	♒	7 8	3	2
17 25 10	22	10	1	9 34	5	3
17 29 31	23	11	2	12 1	7	4
17 33 52	24	12	4	14 31	8	5
17 38 13	25	13	5	17 3	10	6
17 42 34	26	14	7	19 36	11	7
17 46 55	27	15	8	22 11	13	8
17 51 17	28	16	9	24 47	15	10
17 55 38	29	17	11	27 23	16	11
18 0 0	30	18	12	0♈0	18	12

Lower half

Sidereal Time H. M. S.	10 ♑	11 ♑	12 ♒	Ascen ° '	2 ♉	3 ♊
18 0 0	0	18	12	0 24	4	8
18 4 22	1	19	14	2 37	19	13
18 8 43	2	20	15	5 13	21	14
18 13 5	3	22	17	7 49	22	15
18 17 26	4	23	19	10 24	23	16
18 21 47	5	24	20	12 57	25	17
18 26 8	6	25	22	15 29	26	18
18 30 29	7	26	23	17 59	28	19
18 34 50	8	27	25	20 26	29	20
18 39 11	9	28	27	22 52	♊	21
18 43 31	10	29	28	25 14	2	22
18 47 51	11	♒	♓	27 34	3	23
18 52 10	12	2	2	29 51	4	24
18 56 30	13	3	3	2♉6	6	26
19 0 49	14	4	5	4 17	7	27
19 5 7	15	5	7	6 25	8	28
19 9 25	16	7	9	8 29	10	29
19 13 43	17	8	10	10 32	10	29
19 18 0	18	9	12	12 30	12	♋
19 22 17	19	10	14	14 26	13	1
19 26 33	20	11	16	16 19	14	2
19 30 49	21	13	18	18 9	15	3
19 35 4	22	14	19	19 56	16	4
19 39 19	23	15	21	21 40	17	5
19 43 33	24	16	23	23 21	18	6
19 47 46	25	18	25	25 0	19	7
19 51 59	26	19	27	26 36	20	8
19 56 11	27	20	28	28 10	22	9
20 0 22	28	21	♓	29 42	23	10
20 4 33	29	23	2	1♊10	24	11
20 8 43	30	24	4	2 37	25	12

Sidereal Time H. M. S.	10 ♒	11 ♒	12 ♈	Ascen ° '	2 ♊	3 ♋
20 8 43	0	24	4	2 37	25	12
20 12 53	1	25	6	4 2	26	13
20 17 2	2	27	7	5 24	27	14
20 21 10	3	28	9	6 45	28	15
20 25 17	4	29	11	8 4	28	15
20 29 24	5	♓	13	9 21	29	16
20 33 30	6	2	14	10 36	♋	17
20 37 35	7	3	16	11 49	1	18
20 41 40	8	4	18	13 2	2	19
20 45 44	9	6	19	14 13	3	20
20 49 47	10	7	21	15 21	4	21
20 53 49	11	8	23	16 29	5	22
20 57 51	12	9	24	17 35	6	23
21 1 52	13	11	26	18 40	7	23
21 5 52	14	12	28	19 44	8	24
21 9 51	15	13	29	20 47	8	25
21 13 50	16	15	♉	21 48	9	26
21 17 48	17	16	2	22 49	10	27
21 21 45	18	17	4	23 48	11	28
21 25 42	19	19	5	24 47	12	29
21 29 38	20	20	7	25 44	13	29
21 33 33	21	21	8	26 41	13	♌
21 37 28	22	23	10	27 37	14	1
21 41 22	23	24	11	28 32	15	2
21 45 15	24	25	12	29 29	16	3
21 49 8	25	26	14	0♋19	17	4
21 53 0	26	28	15	1 12	17	5
21 56 51	27	29	17	2 4	18	5
22 0 42	28	♈	18	2 56	19	6
22 4 32	29	2	19	3 46	20	7
22 8 21	30	3	20	4 36	21	8

Sidereal Time H. M. S.	10 ♓	11 ♈	12 ♉	Ascen ° '	2 ♋	3 ♌
22 8 21	0	3	20	4 36	21	8
22 12 10	1	4	22	5 26	21	9
22 15 59	2	5	23	6 15	22	10
22 19 47	3	7	24	7 3	23	10
22 23 34	4	8	25	7 51	24	11
22 27 21	5	9	27	8 39	24	12
22 31 7	6	10	28	9 26	25	13
22 34 53	7	12	29	10 12	26	14
22 38 39	8	13	♊	10 58	27	14
22 42 24	9	14	1	11 44	27	15
22 46 8	10	15	2	12 29	28	16
22 49 52	11	17	4	13 14	29	17
22 53 36	12	18	5	13 59	♌	18
22 57 19	13	19	6	14 43	0	19
23 1 2	14	20	7	15 27	1	19
23 4 45	15	21	8	16 10	2	20
23 8 28	16	23	9	16 54	3	21
23 12 10	17	24	10	17 37	3	22
23 15 52	18	25	12	18 19	4	23
23 19 33	19	26	12	19 2	5	24
23 23 15	20	27	13	19 44	5	24
23 26 56	21	28	14	20 26	6	25
23 30 37	22	♉	15	21 8	7	26
23 34 17	23	1	16	21 49	8	27
23 37 58	24	2	17	22 31	8	28
23 41 39	25	3	18	23 12	9	28
23 45 19	26	4	19	23 53	10	29
23 48 59	27	5	20	24 34	10	♍
23 52 40	28	6	21	25 15	11	1
23 56 20	29	8	22	25 55	12	2
24 0 0	30	9	22	26 36	13	3

Sidereal Time	10 ♈	11 ♉	12 ♊	Ascen ♋	2 ♌	3 ♍
H. M. S.	°	°	°	° '	°	°
0 0 0	0	9	24	28 11	14	3
0 3 40	1	10	25	28 50	14	4
0 7 20	2	11	26	29 29	15	4
0 11 1	3	13	27	0♌ 9	16	5
0 14 41	4	14	28	0 47	16	6
0 18 21	5	15	29	1 26	17	7
0 22 2	6	16	29	2 5	18	8
0 25 43	7	17	♋	2 44	18	9
0 29 23	8	18	1	3 22	19	9
0 33 4	9	19	2	4 1	20	10
0 36 45	10	20	3	4 39	21	11
0 40 27	11	21	4	5 18	21	12
0 44 8	12	22	4	5 56	22	13
0 47 50	13	23	5	6 35	23	14
0 51 32	14	24	6	7 13	23	14
0 55 15	15	25	7	7 52	24	15
0 58 58	16	26	8	8 30	25	16
1 2 41	17	28	8	9 9	26	17
1 6 24	18	29	9	9 47	26	18
1 10 8	19	♊	10	10 26	27	19
1 13 52	20	1	11	11 4	28	19
1 17 36	21	2	12	11 43	28	20
1 21 21	22	3	12	12 21	29	21
1 25 7	23	4	13	13 0	♍	22
1 28 53	24	5	14	13 39	1	23
1 32 39	25	6	15	14 17	1	24
1 36 26	26	7	15	14 56	2	25
1 40 13	27	8	16	15 35	3	25
1 44 1	28	9	17	16 14	3	26
1 47 50	29	10	18	16 53	4	27
1 51 39	30	11	19	17 32	5	28

Sidereal Time	10 ♉	11 ♊	12 ♋	Ascen ♌	2 ♍	3 ♍
H. M. S.	°	°	°	° '	°	°
1 51 39	0	11	19	17 32	5	28
1 55 28	1	11	19	18 11	6	29
1 59 18	2	12	20	18 50	6	♎
2 3 9	3	13	21	19 29	7	1
2 7 0	4	14	22	20 9	8	2
2 10 52	5	15	22	20 48	9	2
2 14 45	6	16	23	21 28	9	3
2 18 38	7	17	24	22 8	10	4
2 22 32	8	18	25	22 47	11	5
2 26 27	9	19	25	23 27	12	6
2 30 22	10	20	26	24 7	12	7
2 34 18	11	21	27	24 48	13	8
2 38 15	12	22	28	25 28	14	9
2 42 12	13	23	29	26 8	15	10
2 46 10	14	24	29	26 49	16	11
2 50 9	15	25	♌	27 29	16	11
2 54 8	16	26	1	28 10	17	12
2 58 7	17	27	2	28 51	18	13
3 2 9	18	28	2	29 32	19	14
3 6 11	19	29	3	0♍13	19	15
3 10 13	20	♋	4	0 54	20	16
3 14 16	21	0	5	1 36	21	17
3 18 20	22	1	6	2 17	22	18
3 22 25	23	2	6	2 59	23	19
3 26 30	24	3	7	3 41	23	20
3 30 36	25	4	8	4 23	24	21
3 34 43	26	5	9	5 5	25	21
3 38 50	27	6	9	5 47	26	22
3 42 58	28	7	10	6 30	27	23
3 47 7	29	8	11	7 12	27	24
3 51 17	30	9	12	7 55	28	25

Sidereal Time	10 ♊	11 ♋	12 ♌	Ascen ♍	2 ♍	3 ♎
H. M. S.	°	°	°	° '	°	°
3 51 17	0	9	12	7 55	28	25
3 55 27	1	10	13	8 38	29	26
3 59 38	2	11	13	9 20	♎	27
4 3 49	3	12	14	10 3	1	28
4 8 1	4	12	15	10 46	2	29
4 12 14	5	13	16	11 30	2	♏
4 16 27	6	14	17	12 13	3	1
4 20 41	7	15	17	12 57	4	2
4 24 56	8	16	18	13 40	5	3
4 29 11	9	17	19	14 24	6	4
4 33 27	10	18	20	15 8	7	5
4 37 43	11	19	21	15 52	7	6
4 42 0	12	20	22	16 36	8	6
4 46 17	13	21	22	17 20	9	7
4 50 35	14	22	23	18 4	10	8
4 54 53	15	23	24	18 48	11	9
4 59 11	16	24	25	19 33	12	10
5 3 30	17	24	26	20 17	12	11
5 7 50	18	25	26	21 2	13	12
5 12 9	19	26	27	21 46	14	13
5 16 29	20	27	28	22 31	15	14
5 20 49	21	28	29	23 16	16	15
5 25 10	22	29	♍	24 1	17	16
5 29 31	23	♌	1	24 45	18	17
5 33 52	24	1	2	25 30	18	18
5 38 13	25	2	2	26 15	19	19
5 42 34	26	3	3	27 0	20	20
5 46 55	27	4	4	27 45	21	21
5 51 17	28	5	5	28 30	22	22
5 55 38	29	6	6	29 15	23	22
6 0 0	30	7	7	0♎ 0	23	23

Sidereal Time	10 ♋	11 ♌	12 ♍	Ascen ♎	2 ♎	3 ♏
H. M. S.	°	°	°	° '	°	°
6 0 0	0	7	7	0 0	23	23
6 4 22	1	8	7	0 45	24	24
6 8 43	2	8	8	1 30	25	25
6 13 5	3	9	9	2 15	26	26
6 17 26	4	10	10	3 0	27	27
6 21 47	5	11	11	3 45	28	28
6 26 8	6	12	12	4 30	28	29
6 30 29	7	13	12	5 15	29	♐
6 34 50	8	14	13	5 59	♏	1
6 39 11	9	15	14	6 44	1	2
6 43 31	10	16	15	7 29	2	3
6 47 51	11	17	16	8 14	3	4
6 52 10	12	18	17	8 58	4	5
6 56 30	13	19	18	9 43	4	6
7 0 49	14	20	18	10 27	5	6
7 5 7	15	21	19	11 12	6	7
7 9 25	16	22	20	11 56	7	8
7 13 43	17	23	21	12 40	8	9
7 18 0	18	24	22	13 24	8	10
7 22 17	19	24	23	14 8	9	11
7 26 33	20	25	23	14 52	10	12
7 30 49	21	26	24	15 36	11	13
7 35 4	22	27	25	16 20	12	14
7 39 19	23	28	26	17 3	13	15
7 43 33	24	29	27	17 47	13	16
7 47 46	25	♍	28	18 30	14	17
7 51 59	26	1	28	19 14	15	18
7 56 11	27	2	29	19 57	16	18
8 0 22	28	3	♎	20 40	17	19
8 4 33	29	4	1	21 22	17	20
8 8 43	30	5	2	22 5	18	21

Sidereal Time	10 ♌	11 ♍	12 ♎	Ascen ♎	2 ♏	3 ♐
H. M. S.	°	°	°	° '	°	°
8 8 43	0	5	2	22 5	18	21
8 12 53	1	6	3	22 48	19	22
8 17 2	2	7	3	23 30	20	23
8 21 10	3	8	4	24 13	21	24
8 25 17	4	9	5	24 55	21	25
8 29 24	5	9	6	25 37	22	26
8 33 30	6	10	7	26 19	23	27
8 37 35	7	11	7	27 1	24	28
8 41 40	8	12	8	27 43	24	29
8 45 44	9	13	9	28 24	25	♑
8 49 47	10	14	10	29 6	26	1
8 53 49	11	15	11	29 47	27	2
8 57 51	12	16	11	0♏28	28	3
9 1 52	13	17	12	1 9	28	4
9 5 52	14	18	13	1 50	29	4
9 9 51	15	19	14	2 31	♐	5
9 13 50	16	19	14	3 11	1	6
9 17 48	17	20	15	3 52	1	7
9 21 45	18	21	16	4 32	2	8
9 25 42	19	22	17	5 12	3	9
9 29 38	20	23	18	5 53	4	10
9 33 33	21	24	18	6 33	5	11
9 37 28	22	25	19	7 13	5	12
9 41 22	23	26	20	7 52	6	13
9 45 15	24	27	21	8 32	7	14
9 49 8	25	28	21	9 12	8	15
9 53 0	26	28	22	9 51	8	16
9 56 51	27	29	23	10 31	9	17
10 0 42	28	♎	24	11 10	10	18
10 4 32	29	1	24	11 49	11	19
10 8 21	30	2	25	12 28	11	19

Sidereal Time	10 ♍	11 ♎	12 ♎	Ascen ♏	2 ♐	3 ♑
H. M. S.	°	°	°	° '	°	°
10 8 21	0	2	25	12 28	11	19
10 12 10	1	3	26	13 7	12	20
10 15 59	2	4	27	13 46	13	21
10 19 47	3	5	27	14 25	14	23
10 23 34	4	5	28	15 4	15	23
10 27 21	5	6	29	15 43	15	24
10 31 7	6	7	29	16 21	16	25
10 34 53	7	8	♏	17 0	17	26
10 38 39	8	9	1	17 39	18	27
10 42 24	9	10	2	18 17	18	28
10 46 8	10	11	2	18 56	19	29
10 49 52	11	11	3	19 34	20	♒
10 53 36	12	12	4	20 13	21	1
10 57 19	13	13	4	20 51	22	2
11 1 2	14	14	5	21 30	22	4
11 4 45	15	15	6	22 8	23	5
11 8 28	16	16	7	22 47	24	6
11 12 10	17	16	7	23 25	25	7
11 15 52	18	17	8	24 4	26	8
11 19 33	19	18	9	24 42	26	9
11 23 15	20	19	9	25 21	27	10
11 26 56	21	20	10	25 59	28	11
11 30 37	22	21	11	26 38	29	12
11 34 17	23	21	12	27 16	♑	13
11 37 58	24	22	12	27 55	1	14
11 41 39	25	23	13	28 34	1	15
11 45 19	26	24	14	29 13	2	16
11 48 59	27	25	14	29 51	3	17
11 52 40	28	26	15	0♐31	4	19
11 56 20	29	26	16	1 10	5	20
12 0 0	30	27	16	1 49	6	21

PROPORTIONAL LOGARITHMS FOR FINDING THE PLANETS' PLACES

degrees or hours

m i n	0	1	2	3	4	5	6	7	8	9	10	11	12	13	14	15	m i n
0		1.3802	1.0792	9031	7782	6812	6021	5351	4771	4260	3802	3388	3010	2663	2341	2041	0
1	3.1584	1.3730	1.0756	9007	7763	6798	6009	5341	4762	4252	3795	3382	3004	2657	2336	2036	1
2	2.8573	1.3660	1.0720	8983	7745	6784	5997	5331	4753	4244	3788	3375	2998	2652	2331	2032	2
3	2.6812	1.3590	1.0685	8959	7728	6769	5985	5320	4744	4236	3780	3368	2992	2646	2325	2027	3
4	2.5563	1.3522	1.0649	8935	7710	6755	5973	5310	4735	4228	3773	3362	2986	2640	2320	2022	4
5	2.4594	1.3454	1.0615	8912	7692	6741	5961	5300	4726	4220	3766	3355	2980	2635	2315	2017	5
6	2.3802	1.3388	1.0580	8888	7674	6726	5949	5290	4717	4212	3759	3349	2974	2629	2310	2012	6
7	2.3133	1.3323	1.0546	8865	7657	6712	5937	5279	4708	4204	3752	3342	2968	2624	2305	2008	7
8	2.2553	1.3259	1.0512	8842	7639	6698	5925	5269	4699	4196	3745	3336	2962	2618	2300	2003	8
9	2.2041	1.3195	1.0478	8819	7622	6684	5913	5259	4691	4188	3737	3329	2956	2613	2295	1998	9
10	2.1584	1.3133	1.0444	8796	7604	6670	5902	5249	4682	4180	3730	3323	2950	2607	2289	1993	10
11	2.1170	1.3071	1.0411	8773	7587	6656	5890	5239	4673	4172	3723	3316	2944	2602	2284	1988	11
12	2.0792	1.3010	1.0378	8751	7570	6642	5878	5229	4664	4164	3716	3310	2939	2596	2279	1984	12
13	2.0444	1.2950	1.0345	8728	7552	6628	5867	5219	4655	4156	3709	3303	2933	2591	2274	1979	13
14	2.0122	1.2891	1.0313	8706	7535	6614	5855	5209	4646	4149	3702	3297	2927	2585	2269	1974	14
15	1.9823	1.2833	1.0280	8683	7518	6601	5843	5199	4638	4141	3695	3291	2921	2580	2264	1969	15
16	1.9542	1.2775	1.0248	8661	7501	6587	5832	5189	4629	4133	3688	3284	2915	2574	2259	1965	16
17	1.9279	1.2719	1.0216	8639	7484	6573	5820	5179	4620	4125	3681	3278	2909	2569	2254	1960	17
18	1.9031	1.2663	1.0185	8617	7467	6559	5809	5169	4611	4117	3674	3271	2903	2564	2249	1955	18
19	1.8796	1.2607	1.0153	8595	7451	6546	5797	5159	4603	4110	3667	3265	2897	2558	2244	1950	19
20	1.8573	1.2553	1.0122	8573	7434	6532	5786	5149	4594	4102	3660	3259	2891	2553	2239	1946	20
21	1.8361	1.2499	1.0091	8552	7417	6519	5774	5139	4585	4094	3653	3252	2885	2547	2234	1941	21
22	1.8159	1.2445	1.0061	8530	7401	6505	5763	5129	4577	4086	3646	3246	2880	2542	2229	1936	22
23	1.7966	1.2393	1.0030	8509	7384	6492	5752	5120	4568	4079	3639	3239	2874	2536	2224	1932	23
24	1.7782	1.2341	1.0000	8487	7368	6478	5740	5110	4559	4071	3632	3233	2868	2531	2218	1927	24
25	1.7604	1.2289	0.9970	8466	7351	6465	5729	5100	4551	4063	3625	3227	2862	2526	2213	1922	25
26	1.7434	1.2239	0.9940	8445	7335	6451	5718	5090	4542	4055	3618	3220	2856	2520	2208	1918	26
27	1.7270	1.2188	0.9910	8424	7319	6438	5707	5081	4534	4048	3611	3214	2850	2515	2203	1913	27
28	1.7112	1.2139	0.9881	8403	7302	6425	5695	5071	4525	4040	3604	3208	2845	2510	2198	1908	28
29	1.6960	1.2090	0.9852	8382	7286	6412	5684	5061	4516	4033	3597	3201	2839	2504	2193	1903	29
30	1.6812	1.2041	0.9823	8361	7270	6398	5673	5051	4508	4025	3590	3195	2833	2499	2188	1899	30
31	1.6670	1.1993	0.9794	8341	7254	6385	5662	5042	4499	4017	3583	3189	2827	2493	2183	1894	31
32	1.6532	1.1946	0.9765	8320	7238	6372	5651	5032	4491	4010	3576	3183	2821	2488	2178	1889	32
33	1.6398	1.1899	0.9737	8300	7222	6359	5640	5023	4482	4002	3570	3176	2816	2483	2173	1885	33
34	1.6269	1.1852	0.9708	8279	7206	6346	5629	5013	4474	3995	3563	3170	2810	2477	2169	1880	34
35	1.6143	1.1806	0.9680	8259	7190	6333	5618	5004	4466	3987	3556	3164	2804	2472	2164	1876	35
36	1.6021	1.1761	0.9652	8239	7175	6320	5607	4994	4457	3979	3549	3158	2798	2467	2159	1871	36
37	1.5902	1.1716	0.9625	8219	7159	6307	5596	4984	4449	3972	3542	3151	2793	2461	2154	1866	37
38	1.5786	1.1671	0.9597	8199	7143	6294	5585	4975	4440	3964	3535	3145	2787	2456	2149	1862	38
39	1.5673	1.1627	0.9570	8179	7128	6282	5574	4965	4432	3957	3529	3139	2781	2451	2144	1857	39
40	1.5563	1.1584	0.9542	8159	7112	6269	5563	4956	4424	3949	3522	3133	2775	2445	2139	1852	40
41	1.5456	1.1540	0.9515	8140	7097	6256	5552	4947	4415	3942	3515	3126	2770	2440	2134	1848	41
42	1.5351	1.1498	0.9488	8120	7081	6243	5541	4937	4407	3934	3508	3120	2764	2435	2129	1843	42
43	1.5249	1.1455	0.9462	8101	7066	6231	5531	4928	4399	3927	3502	3114	2758	2430	2124	1839	43
44	1.5149	1.1413	0.9435	8081	7050	6218	5520	4918	4390	3919	3495	3108	2753	2424	2119	1834	44
45	1.5051	1.1372	0.9409	8062	7035	6205	5509	4909	4382	3912	3488	3102	2747	2419	2114	1829	45
46	1.4956	1.1331	0.9383	8043	7020	6193	5498	4900	4374	3905	3481	3096	2741	2414	2109	1825	46
47	1.4863	1.1290	0.9356	8023	7005	6180	5488	4890	4366	3897	3475	3089	2736	2409	2104	1820	47
48	1.4771	1.1249	0.9331	8004	6990	6168	5477	4881	4357	3890	3468	3083	2730	2403	2099	1816	48
49	1.4682	1.1209	0.9305	7985	6975	6155	5466	4872	4349	3882	3461	3077	2724	2398	2095	1811	49
50	1.4594	1.1170	0.9279	7966	6960	6143	5456	4863	4341	3875	3454	3071	2719	2393	2090	1806	50
51	1.4508	1.1130	0.9254	7948	6945	6131	5445	4853	4333	3868	3448	3065	2713	2388	2085	1802	51
52	1.4424	1.1091	0.9228	7929	6930	6118	5435	4844	4325	3860	3441	3059	2707	2382	2080	1797	52
53	1.4341	1.1053	0.9203	7910	6915	6106	5424	4835	4316	3853	3434	3053	2702	2377	2075	1793	53
54	1.4260	1.1015	0.9178	7891	6900	6094	5414	4826	4308	3846	3428	3047	2696	2372	2070	1788	54
55	1.4180	1.0977	0.9153	7873	6885	6081	5403	4817	4300	3838	3421	3041	2691	2367	2065	1784	55
56	1.4102	1.0939	0.9128	7855	6871	6069	5393	4808	4292	3831	3415	3034	2685	2362	2061	1779	56
57	1.4025	1.0902	0.9104	7836	6856	6057	5382	4798	4284	3824	3408	3028	2679	2356	2056	1775	57
58	1.3949	1.0865	0.9079	7818	6841	6045	5372	4789	4276	3817	3401	3022	2674	2351	2051	1770	58
59	1.3875	1.0828	0.9055	7800	6827	6033	5361	4780	4268	3809	3395	3016	2668	2346	2046	1765	59

0	1	2	3	4	5	6	7	8	9	10	11	12	13	14	15

RULE: Add proportional log of planet's daily motion to log of time from noon, and the sum will be the log of the motion required. Add this to planet's place at noon, if time is p.m., but subtract if a.m., and the sum will be planet's true position. If Retrograde, subtract for p.m., but add for a.m.

What is the long. of Moon 10 October 2025 6:30pm?
Moon's daily motion = 14°39'23"
    Prop Log of 14°39'23" 0.2144
    Prop Log of 6h 30m 0.5673
Moon's motion in 6h 30m = 3°58' or log 0.7817
Moon's long. = 14°♊39' + 3°58'= 18°♊37'

See pages 26-28 for daily motions

Block 1

Sidereal Time (H. M. S.)	10 ♎	11 ♎	12 ♏	Ascen ♐	2 ♑	3 ♒
12 0 0	0	29	22	11 6	15	24
12 3 40	1	♏	22	11 51	16	25
12 7 20	2	1	23	12 37	17	26
12 11 1	3	1	24	13 22	18	27
12 14 41	4	2	25	14 8	18	28
12 18 21	5	3	25	14 54	19	29
12 22 2	6	4	26	15 40	20	♓
12 25 43	7	5	27	16 27	21	1
12 29 23	8	6	28	17 13	22	2
12 33 4	9	7	28	18 0	23	3
12 36 45	10	7	29	18 47	24	4
12 40 27	11	8	♐	19 34	25	6
12 44 8	12	9	1	20 22	26	7
12 47 50	13	10	2	21 9	27	8
12 51 32	14	11	2	21 57	28	9
12 55 15	15	12	3	22 46	29	10
12 58 58	16	13	4	23 35	♒	11
13 2 41	17	13	5	24 24	1	12
13 6 24	18	14	6	25 13	2	13
13 10 8	19	15	6	26 3	3	15
13 13 52	20	16	7	26 53	5	16
13 17 36	21	17	8	27 43	6	17
13 21 21	22	18	9	28 34	7	18
13 25 7	23	19	9	29 25	8	19
13 28 53	24	19	10	0♐17	9	20
13 32 39	25	20	11	1 9	10	22
13 36 26	26	21	12	2 2	11	23
13 40 13	27	22	13	2 55	12	24
13 44 1	28	23	14	3 49	14	25
13 47 50	29	24	14	4 43	15	26
13 51 39	30	25	15	5 38	16	27

Block 2

Sidereal Time (H. M. S.)	10 ♏	11 ♏	12 ♐	Ascen ♑	2 ♒	3 ♓
13 51 39	0	25	15	5 38	16	27
13 55 28	1	25	16	6 33	17	29
13 59 18	2	26	17	7 29	18	♈
14 3 9	3	27	18	8 26	20	1
14 7 0	4	28	19	9 23	21	2
14 10 52	5	29	19	10 21	22	3
14 14 45	6	♐	20	11 19	23	5
14 18 38	7	1	21	12 18	25	6
14 22 32	8	2	22	13 18	26	7
14 26 27	9	2	23	14 19	27	8
14 30 22	10	3	24	15 20	28	9
14 34 18	11	4	25	16 23	♓	11
14 38 15	12	5	25	17 26	1	12
14 42 12	13	6	26	18 30	2	13
14 46 10	14	7	27	19 34	4	14
14 50 9	15	8	28	20 40	5	16
14 54 8	16	9	29	21 47	6	17
14 58 8	17	9	♑	22 54	8	18
15 2 9	18	10	1	24 3	9	19
15 6 11	19	11	2	25 12	11	20
15 10 13	20	12	3	26 23	12	22
15 14 16	21	13	4	27 34	14	23
15 18 20	22	14	5	28 47	15	24
15 22 25	23	15	6	0♒1	16	25
15 26 30	24	16	7	1 16	18	27
15 30 36	25	17	8	2 32	19	28
15 34 43	26	18	9	3 50	21	29
15 38 50	27	19	10	5 8	22	♉
15 42 55	28	20	11	6 28	24	1
15 47 7	29	20	12	7 49	25	2
15 51 17	30	21	13	9 11	27	4

Block 3

Sidereal Time (H. M. S.)	10 ♐	11 ♐	12 ♑	Ascen ♒	2 ♓	3 ♉
15 51 17	0	21	13	9 11	27	4
15 55 27	1	22	14	10 35	28	5
15 59 38	2	23	15	12 0	♈	6
16 3 49	3	24	16	13 26	1	7
16 8 1	4	25	17	14 54	3	9
16 12 14	5	26	18	16 23	4	10
16 16 27	6	27	19	17 54	6	11
16 20 41	7	28	20	19 25	7	12
16 24 56	8	29	21	20 59	9	13
16 29 11	9	♑	22	22 33	11	15
16 33 27	10	1	23	24 10	12	16
16 37 43	11	2	25	25 47	14	17
16 42 0	12	3	26	27 26	15	18
16 46 17	13	4	27	29 6	17	19
16 50 35	14	5	28	0♓47	18	20
16 54 53	15	6	29	2 30	20	22
16 59 11	16	7	♒	4 13	21	23
17 3 30	17	8	2	5 58	23	24
17 7 50	18	9	3	7 45	24	25
17 12 9	19	10	4	9 32	26	26
17 16 29	20	11	5	11 20	27	27
17 20 49	21	12	7	13 9	29	28
17 25 10	22	13	8	14 59	♉	♊
17 29 31	23	14	9	16 50	2	1
17 33 52	24	15	10	18 42	3	2
17 38 13	25	16	12	20 34	4	3
17 42 34	26	17	13	22 26	6	4
17 46 55	27	18	14	24 19	7	5
17 51 17	28	19	16	26 13	9	6
17 55 38	29	20	17	28 6	10	7
18 0 0	30	22	19	0♈0	11	8

Block 4

Sidereal Time (H. M. S.)	10 ♑	11 ♑	12 ♒	Ascen ♈	2 ♉	3 ♊
18 0 0	0	22	19	0 0	11	8
18 4 22	1	23	20	1 54	13	10
18 8 43	2	23	20	3 47	14	11
18 13 5	3	25	23	5 41	16	12
18 17 26	4	26	24	7 34	17	13
18 21 47	5	27	26	9 24	18	14
18 26 8	6	28	27	11 18	20	15
18 30 29	7	29	28	13 10	21	16
18 34 50	8	♒	♓	15 1	22	17
18 39 11	9	2	1	16 51	23	18
18 43 31	10	3	3	18 40	25	19
18 47 51	11	4	4	20 28	26	20
18 52 10	12	5	6	22 15	27	21
18 56 30	13	6	7	24 2	28	22
19 0 49	14	7	9	25 47	♊	23
19 5 7	15	8	10	27 30	1	24
19 9 25	16	10	12	29 13	2	25
19 13 43	17	11	13	0♉54	3	26
19 18 0	18	12	15	2 33	4	27
19 22 17	19	13	16	4 13	5	28
19 26 33	20	14	18	5 50	7	29
19 30 49	21	15	19	7 27	8	♋
19 35 4	22	17	21	9 1	9	1
19 39 19	23	18	23	10 35	10	2
19 43 33	24	19	24	12 6	11	3
19 47 46	25	20	26	13 37	12	4
19 51 59	26	21	27	15 6	13	5
19 56 11	27	23	29	16 34	15	6
20 0 22	28	24	♈	18 0	15	7
20 4 33	29	25	2	19 25	16	8
20 8 43	30	26	3	20 49	17	9

Block 5

Sidereal Time (H. M. S.)	10 ♒	11 ♒	12 ♈	Ascen ♉	2 ♊	3 ♋
20 8 43	0	26	3	20 49	17	9
20 12 53	1	27	5	22 11	18	10
20 17 2	2	29	6	23 32	19	10
20 21 10	3	♓	8	24 52	20	11
20 25 17	4	1	9	26 10	21	12
20 29 24	5	2	11	27 28	22	13
20 33 30	6	3	12	28 44	23	14
20 37 35	7	5	14	29 59	24	15
20 41 40	8	6	15	1♊13	25	16
20 45 44	9	7	16	2 26	26	17
20 49 47	10	8	18	3 37	27	18
20 53 49	11	10	19	4 48	28	19
20 57 51	12	11	21	5 57	29	20
21 1 52	13	12	22	7 6	♋	21
21 5 52	14	13	24	8 13	1	21
21 9 51	15	15	25	9 20	2	22
21 13 50	16	16	26	10 26	3	23
21 17 48	17	17	28	11 30	4	24
21 21 45	18	18	29	12 34	5	25
21 25 42	19	19	♉	13 37	5	26
21 29 38	20	21	2	14 40	6	27
21 33 33	21	22	3	15 41	7	28
21 37 28	22	23	4	16 42	8	28
21 41 22	23	24	5	17 42	9	29
21 45 15	24	25	7	18 41	10	♌
21 49 8	25	27	8	19 39	11	1
21 53 0	26	28	9	20 37	11	2
21 56 51	27	29	11	21 35	12	3
22 0 42	28	♈	12	22 31	13	4
22 4 32	29	1	13	23 27	14	5
22 8 21	30	3	14	24 22	15	5

Block 6

Sidereal Time (H. M. S.)	10 ♓	11 ♈	12 ♉	Ascen ♊	2 ♋	3 ♌
22 8 21	0	3	14	24 22	15	5
22 12 10	1	4	15	25 17	16	6
22 15 59	2	5	16	26 11	16	7
22 19 47	3	6	18	27 5	17	8
22 23 34	4	7	19	27 58	18	9
22 27 21	5	8	20	28 51	19	10
22 31 7	6	10	21	29 43	20	11
22 34 53	7	11	22	0♋35	21	11
22 38 39	8	12	23	1 26	21	12
22 42 24	9	13	24	2 17	22	13
22 46 8	10	14	25	3 7	23	14
22 49 52	11	15	27	3 57	24	15
22 53 36	12	17	28	4 47	25	16
22 57 19	13	18	29	5 36	25	17
23 1 2	14	19	♊	6 25	26	17
23 4 45	15	20	1	7 14	27	18
23 8 28	16	21	2	8 3	28	19
23 12 10	17	22	3	8 51	28	20
23 15 52	18	23	4	9 39	29	22
23 19 33	19	24	5	10 26	♌	22
23 23 15	20	26	6	11 13	1	23
23 26 56	21	27	7	12 0	2	23
23 30 37	22	28	8	12 47	2	24
23 34 17	23	29	9	13 33	3	25
23 37 58	24	♉	10	14 20	4	26
23 41 39	25	1	11	15 6	5	27
23 45 19	26	2	12	15 52	5	28
23 49 9	27	3	13	16 38	6	29
23 52 40	28	4	13	17 23	7	29
23 56 20	29	5	14	18 9	8	♍
24 0 0	30	6	15	18 54	8	1

Sidereal Time	10 ♎	11 ♎	12 ♏	Ascen ♐	2 ♑	3 ≈	Sidereal Time	10 ♏	11 ♏	12 ♐	Ascen ♐	2 ≈	3 ♓	Sidereal Time	10 ♐	11 ♐	12 ♑	Ascen ♑	2 ♓	3 ♉
H. M. S.	°	°	°	° '	°	°	H. M. S.	°	°	°	° '	°	°	H. M. S.	°	°	°	° '	°	°
12 0 0	0	27	16	1 49	6	21	13 51 39	0	22	8	23 8	8	27	15 51 17	0	17	4	24 19	26	7
12 3 40	1	28	17	2 28	7	22	13 55 28	1	22	9	23 56	9	28	15 55 27	1	18	5	25 45	28	8
12 7 20	2	29	18	3 7	8	23	13 59 18	2	23	10	24 45	11	♈	15 59 38	2	19	6	27 13	♈	9
12 11 1	3	♏	19	3 47	9	24	14 3 9	3	24	10	25 35	12	1	16 3 49	3	20	7	28 44	2	10
12 14 41	4	0	19	4 27	9	25	14 7 0	4	25	11	26 26	13	2	16 8 1	4	21	8	0≈18	4	12
12 18 21	5	1	20	5 6	10	26	14 10 52	5	26	12	27 17	15	4	16 12 14	5	22	9	1 54	5	13
12 22 2	6	2	21	5 47	11	28	14 14 45	6	27	13	28 8	16	5	16 16 27	6	23	10	3 33	7	14
12 25 43	7	3	21	6 27	12	29	14 18 38	7	27	14	29 1	17	6	16 20 41	7	24	11	5 15	9	15
12 29 23	8	4	22	7 7	13	♓	14 22 32	8	28	14	29 54	19	8	16 24 56	8	25	12	7 0	11	17
12 33 4	9	4	23	7 48	14	1	14 26 27	9	29	15	0♓48	20	9	16 29 11	9	26	13	8 49	13	18
12 36 45	10	5	24	8 28	15	2	14 30 22	10	♐	16	1 43	22	10	16 33 27	10	27	14	10 41	15	19
12 40 27	11	6	24	9 9	16	4	14 34 18	11	1	17	2 39	23	12	16 37 43	11	28	15	12 36	17	20
12 44 8	12	7	25	9 51	17	5	14 38 15	12	2	18	3 36	25	13	16 42 0	12	29	17	14 35	19	22
12 47 50	13	8	26	10 32	18	6	14 42 12	13	2	18	4 33	27	14	16 46 17	13	♐	18	16 37	20	23
12 51 32	14	9	26	11 14	19	7	14 46 10	14	3	19	5 32	28	16	16 50 35	14	1	19	18 43	22	24
12 55 15	15	9	27	11 56	20	8	14 50 9	15	4	20	6 32	♓	17	16 54 53	15	2	20	20 53	24	25
12 58 58	16	10	28	12 38	21	10	14 54 8	16	5	21	7 33	1	18	16 59 11	16	3	21	23 7	26	27
13 2 41	17	11	29	13 21	22	11	14 58 8	17	6	22	8 35	3	20	17 3 30	17	4	23	25 24	28	28
13 6 24	18	12	29	14 3	24	12	15 2 9	18	7	23	9 38	5	21	17 7 50	18	5	24	27 46	29	29
13 10 8	19	13	♐	14 47	25	13	15 6 11	19	8	24	10 43	6	22	17 12 9	19	6	25	0♈11	♉	♉
13 13 52	20	13	1	15 30	26	14	15 10 13	20	8	24	11 49	8	23	17 16 29	20	7	27	2 40	3	1
13 17 36	21	14	1	16 14	27	16	15 14 16	21	9	25	12 56	10	25	17 20 49	21	8	28	5 12	5	2
13 21 21	22	15	2	16 58	28	17	15 18 20	22	10	26	14 5	12	26	17 25 10	22	9	29	7 48	6	4
13 25 7	23	16	3	17 43	29	18	15 22 25	23	11	27	15 15	13	27	17 29 31	23	10	≈	10 27	8	5
13 28 53	24	17	4	18 28	≈	19	15 26 30	24	12	28	16 27	15	29	17 33 52	24	11	2	13 9	10	6
13 32 39	25	17	4	19 13	2	21	15 30 36	25	13	29	17 41	17	♉	17 38 13	25	12	3	15 53	11	7
13 36 26	26	18	5	19 59	3	22	15 34 43	26	14	♓	18 57	19	1	17 42 34	26	13	5	18 40	13	8
13 40 13	27	19	6	20 46	4	23	15 38 50	27	15	1	20 14	21	3	17 46 55	27	14	6	21 28	15	9
13 44 1	28	20	7	21 33	5	25	15 42 58	28	16	2	21 34	22	4	17 51 17	28	15	8	24 18	16	10
13 47 50	29	21	7	22 20	7	26	15 47 7	29	16	3	22 55	24	5	17 55 38	29	16	9	27 8	18	12
13 51 39	30	22	8	23 8	8	27	15 51 17	30	17	4	24 19	26	7	18 0 0	30	17	11	0♈ 0	19	13

Sidereal Time	10 ♑	11 ♑	12 ≈	Ascen ♈	2 ♉	3 ♊	Sidereal Time	10 ≈	11 ≈	12 ♈	Ascen ♊	2 ♊	3 ♋	Sidereal Time	10 ♓	11 ♈	12 ♉	Ascen ♋	2 ♋	3 ♌
H. M. S.	°	°	°	° '	°	°	H. M. S.	°	°	°	° '	°	°	H. M. S.	°	°	°	° '	°	°
18 0 0	0	17	11	0 0	19	13	20 8 43	0	23	4	5 41	26	13	22 8 21	0	3	22	6 52	22	8
18 4 22	1	18	12	2 52	21	14	20 12 53	1	25	6	7 5	27	14	22 12 10	1	4	23	7 40	23	9
18 8 43	2	20	14	5 42	22	15	20 17 2	2	26	8	8 27	28	14	22 15 59	2	5	25	8 27	23	10
18 13 5	3	21	15	8 32	24	16	20 21 10	3	27	9	9 46	29	15	22 19 47	3	7	26	9 14	24	11
18 17 26	4	22	17	11 20	25	17	20 25 17	4	29	11	11 3	♋	16	22 23 34	4	8	27	10 1	25	12
18 21 47	5	23	19	14 7	27	18	20 29 24	5	♓	13	12 19	1	17	22 27 21	5	9	28	10 47	26	13
18 26 8	6	24	20	16 51	28	19	20 33 30	6	1	15	13 33	2	18	22 31 7	6	11	♊	11 32	26	13
18 30 29	7	25	22	19 33	29	20	20 37 35	7	3	17	14 45	3	19	22 34 53	7	12	1	12 17	27	14
18 34 50	8	26	24	22 12	♊	21	20 41 40	8	4	18	15 55	4	20	22 38 39	8	13	2	13 2	28	15
18 39 11	9	28	25	24 48	2	22	20 45 44	9	5	20	17 4	5	21	22 42 24	9	14	3	13 46	29	16
18 43 31	10	29	27	27 20	3	23	20 49 47	10	7	22	18 11	6	22	22 46 8	10	16	4	14 30	29	17
18 47 51	11	≈	29	29 49	5	24	20 53 49	11	8	24	19 17	6	22	22 49 52	11	17	5	15 13	♌	17
18 52 10	12	1	♈	2♉14	6	25	20 57 51	12	9	25	20 22	7	23	22 53 36	12	18	6	15 57	1	18
18 56 30	13	2	2	4 36	7	26	21 1 52	13	11	27	21 25	8	24	22 57 19	13	19	8	16 39	1	19
19 0 49	14	3	4	6 53	9	27	21 5 52	14	12	29	22 27	9	25	23 1 2	14	20	9	17 22	2	20
19 5 7	15	5	6	9 7	10	28	21 9 51	15	13	♉	23 28	10	26	23 4 45	15	22	10	18 4	3	21
19 9 25	16	6	8	11 17	11	29	21 13 50	16	14	2	24 28	11	27	23 8 28	16	23	11	18 46	4	21
19 13 43	17	7	10	13 23	12	♋	21 17 48	17	16	3	25 27	12	28	23 12 10	17	24	12	19 28	4	22
19 18 0	18	8	11	15 25	13	1	21 21 45	18	17	5	26 24	12	28	23 15 52	18	25	13	20 10	5	23
19 22 17	19	10	13	17 24	15	2	21 25 42	19	18	7	27 21	13	29	23 19 33	19	26	14	20 51	6	24
19 26 33	20	11	15	19 19	16	3	21 29 38	20	20	8	28 17	14	♌	23 23 15	20	28	15	21 32	6	25
19 30 49	21	12	17	21 11	17	4	21 33 33	21	21	10	29 12	15	1	23 26 56	21	29	16	22 12	7	26
19 35 4	22	13	19	23 0	18	5	21 37 28	22	22	11	0♋ 6	16	2	23 30 37	22	♉	17	22 53	8	27
19 39 19	23	15	21	24 45	19	6	21 41 22	23	24	13	0 59	16	3	23 34 17	23	1	18	23 33	9	27
19 43 32	24	16	23	26 27	20	7	21 45 15	24	25	14	1 52	17	3	23 37 58	24	2	19	24 13	9	28
19 47 46	25	17	25	28 6	21	8	21 49 8	25	26	15	2 43	18	4	23 41 39	25	4	20	24 54	10	29
19 51 59	26	18	26	29 42	22	9	21 53 0	26	28	17	3 34	19	5	23 45 19	26	5	21	25 33	11	♍
19 56 11	27	20	28	1♊16	23	10	21 56 51	27	29	18	4 25	20	6	23 48 59	27	6	21	26 13	11	0
20 0 22	28	21	♈	2 47	24	11	22 0 42	28	♈	19	5 15	20	7	23 52 40	28	7	22	26 53	12	1
20 4 33	29	22	2	4 15	25	12	22 4 32	29	2	21	6 4	21	8	23 56 20	29	8	23	27 32	13	2
20 8 43	30	23	4	5 41	26	13	22 8 21	30	3	22	6 52	22	8	24 0 0	30	9	24	28 11	14	3

Sidereal Time	10 ♈	11 ♉	12 ♊	Ascen ♋	2 ♌	3 ♍
H. M. S.	°	°	°	° '	°	°
0 0 0	0	6	15	18 54	8	1
0 3 40	1	7	16	19 39	9	2
0 7 20	2	8	17	20 24	10	3
0 11 1	3	9	18	21 9	11	4
0 14 41	4	11	19	21 54	12	5
0 18 21	5	12	20	22 38	12	6
0 22 2	6	13	21	23 23	13	6
0 25 43	7	14	22	24 8	14	7
0 29 23	8	15	22	24 52	15	8
0 33 4	9	16	23	25 36	15	9
0 36 45	10	17	24	26 21	16	10
0 40 27	11	18	25	27 5	17	11
0 44 8	12	19	26	27 49	18	12
0 47 50	13	20	27	28 33	19	13
0 51 32	14	21	28	29 18	19	13
0 55 15	15	22	29	0♋ 2	20	14
0 58 58	16	23	29	0 46	21	15
1 2 41	17	24	♋	1 30	22	16
1 6 24	18	25	1	2 14	23	17
1 10 8	19	26	2	2 59	23	18
1 13 52	20	27	3	3 43	24	19
1 17 36	21	28	4	4 27	25	20
1 21 21	22	29	4	5 11	26	21
1 25 7	23	♊	5	5 56	26	22
1 28 53	24	1	6	6 40	27	22
1 32 39	25	2	7	7 25	28	23
1 36 26	26	2	8	8 9	29	24
1 40 13	27	3	9	8 54	♍	25
1 44 1	28	4	10	9 38	1	26
1 47 50	29	5	10	10 23	1	27
1 51 39	30	6	11	11 8	2	28

Sidereal Time	10 ♉	11 ♊	12 ♋	Ascen ♌	2 ♍	3 ♎
H. M. S.	°	°	°	° '	°	°
1 51 39	0	6	11	11 8	2	28
1 55 28	1	7	12	11 53	3	29
1 59 18	2	8	13	12 38	4	♎
2 3 9	3	9	14	13 23	5	1
2 7 0	4	10	15	14 8	5	2
2 10 52	5	11	15	14 54	6	3
2 14 45	6	12	16	15 39	7	4
2 18 38	7	13	17	16 25	8	5
2 22 32	8	14	18	17 10	9	5
2 26 27	9	15	19	17 56	10	6
2 30 22	10	16	20	18 42	11	7
2 34 18	11	17	20	19 28	11	8
2 38 15	12	18	21	20 15	12	9
2 42 12	13	19	22	21 1	13	10
2 46 10	14	20	23	21 47	14	11
2 50 9	15	21	24	22 34	15	12
2 54 8	16	21	25	23 21	16	13
2 58 8	17	22	25	24 8	17	14
3 2 9	18	23	26	24 55	17	15
3 6 11	19	24	27	25 42	18	16
3 10 13	20	25	28	26 30	19	17
3 14 16	21	26	29	27 17	20	18
3 18 20	22	27	♌	28 5	21	19
3 22 25	23	28	1	28 53	22	20
3 26 30	24	29	1	29 41	23	21
3 30 36	25	♋	2	0♍29	24	22
3 34 43	26	1	3	1 18	24	23
3 38 50	27	2	4	2 6	25	24
3 42 58	28	3	5	2 55	26	25
3 47 7	29	4	6	3 44	27	26
3 51 17	30	5	7	4 33	28	27

Sidereal Time	10 ♊	11 ♋	12 ♌	Ascen ♍	2 ♎	3 ♏
H. M. S.	°	°	°	° '	°	°
3 51 17	0	5	7	4 33	28	27
3 55 27	1	6	8	5 22	29	28
3 59 38	2	7	8	6 11	♎	29
4 3 49	3	8	9	7 1	1	♏
4 8 1	4	8	10	7 50	2	1
4 12 14	5	9	11	8 40	3	2
4 16 27	6	10	12	9 30	4	3
4 20 41	7	11	13	10 20	5	4
4 24 56	8	12	14	11 10	5	5
4 29 11	9	13	15	12 1	6	6
4 33 27	10	14	16	12 51	7	7
4 37 43	11	15	16	13 42	8	8
4 42 0	12	16	17	14 33	9	9
4 46 17	13	17	18	15 23	10	10
4 50 35	14	18	19	16 14	11	11
4 54 53	15	19	20	17 5	12	12
4 59 11	16	20	21	17 57	13	13
5 3 30	17	21	22	18 48	14	14
5 7 50	18	22	23	19 39	15	15
5 12 9	19	23	24	20 31	16	16
5 16 29	20	24	25	21 22	17	17
5 20 49	21	25	26	22 14	18	18
5 25 10	22	26	27	23 5	19	19
5 29 31	23	27	27	23 57	19	20
5 33 52	24	28	28	24 49	20	21
5 38 13	25	29	29	25 41	21	22
5 42 34	26	♌	♍	26 32	22	23
5 46 55	27	1	1	27 24	23	23
5 51 17	28	2	2	28 16	24	24
5 55 38	29	3	3	29 8	25	25
6 0 0	30	4	4	0♎ 0	26	26

Sidereal Time	10 ♋	11 ♌	12 ♍	Ascen ♎	2 ♎	3 ♏
H. M. S.	°	°	°	° '	°	°
6 0 0	0	4	4	0 0	26	26
6 4 22	1	5	5	0 52	27	27
6 8 43	2	6	6	1 44	28	28
6 13 5	3	7	7	2 36	29	29
6 17 26	4	7	8	3 28	♏	♐
6 21 47	5	8	9	4 19	1	1
6 26 8	6	9	10	5 11	2	2
6 30 29	7	10	11	6 3	3	3
6 34 50	8	11	11	6 55	3	4
6 39 11	9	12	12	7 46	4	5
6 43 31	10	13	13	8 38	5	6
6 47 51	11	14	14	9 29	6	7
6 52 10	12	15	15	10 21	7	8
6 56 30	13	16	16	11 12	8	9
7 0 49	14	17	17	12 4	9	10
7 5 7	15	18	18	12 55	10	11
7 9 25	16	19	19	13 46	11	12
7 13 43	17	20	20	14 37	12	13
7 18 0	18	21	21	15 27	13	14
7 22 17	19	22	22	16 18	14	15
7 26 33	20	23	23	17 9	14	16
7 30 49	21	24	24	17 59	15	17
7 35 4	22	25	25	18 50	16	18
7 39 19	23	26	25	19 40	17	19
7 43 33	24	27	26	20 30	18	20
7 47 46	25	28	27	21 20	19	21
7 51 59	26	29	28	22 10	20	22
7 56 11	27	♍	29	22 59	21	22
8 0 22	28	1	♎	23 49	22	23
8 4 33	29	2	1	24 38	22	24
8 8 43	30	3	2	25 27	23	25

Sidereal Time	10 ♌	11 ♍	12 ♎	Ascen ♎	2 ♏	3 ♐
H. M. S.	°	°	°	° '	°	°
8 8 43	0	3	2	25 27	23	25
8 12 53	1	4	3	26 16	24	26
8 17 2	2	5	4	27 5	25	27
8 21 10	3	6	5	27 54	26	28
8 25 17	4	7	6	28 42	27	29
8 29 24	5	8	6	29 31	28	♐
8 33 30	6	9	7	0♏19	29	1
8 37 35	7	10	8	1 7	29	2
8 41 40	8	11	9	1 55	♐	3
8 45 44	9	12	10	2 43	1	4
8 49 47	10	13	11	3 30	2	5
8 53 49	11	14	12	4 18	3	6
8 57 51	12	15	13	5 5	4	7
9 1 52	13	16	13	5 52	5	8
9 5 52	14	17	14	6 39	5	9
9 9 51	15	18	15	7 26	6	10
9 13 50	16	19	16	8 13	7	10
9 17 48	17	20	17	8 59	8	11
9 21 45	18	21	18	9 45	9	12
9 25 42	19	22	19	10 32	10	13
9 29 38	20	23	19	11 18	10	14
9 33 33	21	24	20	12 4	11	15
9 37 28	22	25	21	12 50	12	16
9 41 22	23	25	22	13 35	13	17
9 45 15	24	26	23	14 21	14	18
9 49 8	25	27	24	15 6	15	19
9 53 0	26	28	25	15 52	15	20
9 56 51	27	29	26	16 37	16	21
10 0 42	28	♎	26	17 22	17	22
10 4 32	29	1	27	18 7	18	23
10 8 21	30	2	28	18 52	19	24

Sidereal Time	10 ♍	11 ♎	12 ♎	Ascen ♏	2 ♐	3 ♑
H. M. S.	°	°	°	° '	°	°
10 8 21	0	2	28	18 52	19	24
10 12 10	1	3	29	19 37	20	25
10 16 0	2	4	29	20 22	20	26
10 19 47	3	5	♏	21 6	21	27
10 23 34	4	6	1	21 51	22	28
10 27 21	5	7	2	22 35	23	28
10 31 7	6	7	2	23 20	24	29
10 34 53	7	8	4	24 4	25	♑
10 38 39	8	9	4	24 49	26	1
10 42 24	9	10	5	25 33	26	2
10 46 8	10	11	6	26 17	27	3
10 49 52	11	12	7	27 1	28	4
10 53 36	12	13	7	27 46	29	5
10 57 19	13	14	8	28 30	♑	6
11 1 2	14	15	9	29 14	1	7
11 4 45	15	16	10	29 58	1	8
11 8 28	16	17	11	0♐42	2	9
11 12 10	17	17	11	1 27	3	10
11 15 52	18	18	12	2 11	4	11
11 19 33	19	19	13	2 55	5	12
11 23 15	20	20	14	3 39	6	13
11 26 56	21	21	15	4 24	7	14
11 30 37	22	22	15	5 8	8	15
11 34 17	23	23	16	5 52	8	16
11 37 58	24	24	17	6 37	9	17
11 41 39	25	24	18	7 22	10	18
11 45 19	26	25	18	8 6	11	19
11 48 59	27	26	19	8 51	12	21
11 52 40	28	27	20	9 36	13	22
11 56 20	29	28	21	10 21	14	23
12 0 0	30	29	22	11 6	15	24